新 潮 文 庫

雪 の 練 習 生

多和田葉子著

新 潮 社 版

9847

目次

雪の練習生

祖母の退化論

耳の裏側や脇《わき》の下を彼にくすぐられて、くすぐったくて、たまらなくなって、身体《からだ》をまるめて床をころがりまわった。きゃっきゃと笑っていたかもしれない。お尻《しり》を天に向けて、お腹《なか》を中側に包み込んで、三日月形になった。まだ小さかったので、四つん這《ば》いになって肛門《こうもん》を天に向かって無防備に突き出していても、襲われる危険なんて感じなかった。それどころか、宇宙が全部、自分の肛門の中に吸い込まれていくような気がした。わたしは腸の内部に宇宙を感じた。「赤ん坊に毛の生えたような奴《やつ》」が宇宙を引き合いに出すなんて、と笑われるかもしれない。わたしは実際、「毛の生えた赤ん坊」以外の何者でもなかった。毛が生えていたから、真っ裸でも、つるつるしていたわけではなくて、ふさふさしていた。ものをつかむ力、つかまる力は発達していたが、歩くのは不得意で、歩いているというより、よろけた勢いで偶然前に進んでいるようなものだった。視界にはぼんやり霧がかかり、音は洞穴の中で聞くようにボアボア反響し、生きたいという思いは手の先と舌の先に集中していた。

母乳の記憶がまだ舌に残っていたので、彼の人差し指を口にくわえて吸うとほっとした。彼の指には靴磨きのブラシのように剛《かた》い毛が生えていた。その指をわたしの口の中でくねくね動かして、遊び相手をしてくれた。それにも飽きて起き上がると、手のひら全体でわたしの胸を押して、相撲を取ってくれた。

わたしは遊び疲れるとそのまま手のひらを二枚ともべったり床につけて手首に顎《あご》をのせて食事の時間を待った。一度だけなめさせてもらった蜂蜜《はちみつ》の味を思い出して舌なめずりすることもあった。

ある日、彼が変なものをわたしの後ろ足に縛り付けた。わたしは足を激しく振って、振り飛ばそうとしたけれど、その何かはしっかり足に縛り付けられていて取れなかった。そのうち、手に痛みを感じたので、ぱっと右手を挙げ、それからすぐに左手も挙げたが、前につんのめってまた両手をついてしまった。床につくと痛いので、両手で床を思いっきり突き放つと、その勢いで身体が後ろに跳ね返り、何秒かバランスをとっていたが、また前に倒れて左手が床についてしまった。すると床に触れた左手が焼けるように痛い。あわてて床を突き放つ。そんなことを何度か繰り返しているうちに、いつの間にか二本脚で立ってバランスをとっていた。

ものを書くというのは不気味なもので、こうして自分が書いた文章をじっと睨《にら》んでいると、頭の中がぐらぐらして、自分がどこにいるのか分からなくなってくる。わたしは、たった今自分で書き始めた物語の中に入ってしまって、もう「今ここ」にはいなくなっている。眼を上げてぼんやり窓の外を見ているうちに、やっと「今ここ」に戻ってくる。でも「今ここ」って一体どこだろう。

夜も更《ふ》けて、ホテルの窓から外を見ると、前の広場が舞台のように見える。街灯の明かりがスポットライトのように地面を円形に照らしている。その光の輪を斜めに刺し切って猫が一匹横切っていった。観客はいない。あたりは静まりかえっている。

その日は会議があって、会議が終わってから参加者全員、豪勢な食事に招かれた。ホテルの部屋に戻ってまず、ごくごく水を飲んだ。ニシンのオイル漬けの味が歯の間に残っている。鏡を見ると、口のまわりが赤く汚れている。赤カブかもしれない。根菜は苦手だけど、脂《あぶら》の目玉がたくさん浮いた濃い紅色のボルシチならば肉のうまみに導かれておいしく飲める。

ホテルのベッドに腰かけると、マットレスが押しつぶされて下のバネがきしんだ。

今日の会議が特に変わっていたわけではないけれど、でもこれまで忘れていた幼年時代の記憶が今日ふいによみがえってきたのは、今日の議題が「我が国における自転車の経済的意味」だったおかげかもしれない。芸術家たちを会議に参加させて政策に口を出させるというのは、罠《わな》かもしれないので、みんなあまり発言しなかったが、わたしだけはいつものように、胸に当てていた右の手を素早く優雅に挙げる。のびのびとして無駄のない動きを意識してみた。参加者たちの目が一斉にわたしの上に集まる。注目されることには慣れていた。

　もっちり脂の乗った上半身に、最高級の真っ白な毛皮を羽織ったわたしのからだは並外れて大きく、胸をちょっと前に突き出して手を挙げただけで、色っぽい香りが光の粉のように振りまかれて、あたりを覆《おお》い尽くし、生き物だけでなく、机も、壁も、たちまち色あせて背景に引っ込んでしまう。この毛皮のつややかな白は、白と言っても普通の白とは違って、太陽の光を通す透き通った白。お日様の熱エネルギーはこの白を突き抜けて肌に達し、肌の下に大切に蓄えられる。北極圏で生き残った祖先が勝ち取った白だ。

　発言するためには、議長に指名されることが大切で、そのためには誰よりも速く手を挙げる必要がある。会議でわたしほどすばやく手を挙げることのできる人はめったにいない。いつだか皮肉な口調で「発言がお好きなんですね」と言われた時には「民主主義の基本ですから」と答えた。ところがこの日わたしは気がついてしまった。手が反射的に挙がってしまうのはわたし自身の意志ではないことに。胸の中がしくしく痛んだ。痛みを追いやって、どうにか調子を取り戻す。

議長の消え入るような「どうぞ」を一拍目とすると、二拍目はわたしがはっきり叩《たた》きつける「わたし」で、三拍目ではみんなが息を呑《の》み、四拍目でわたしは「思ったんです」と強く踏み出す。そんな風に裏を強く、表は力を抜いてしゃべり続ければ、そのうちうまくスイングしていく。

踊ってみせるわけではないのに、踊っている気分になってきて椅子《いす》の上で腰が揺れ、椅子がきしむ。強く発音される音節がタンバリンになって拍子をとってくれる。みんなの心がこちらに引きつけられ、見とれ、とろけて我を忘れ、任務を忘れ、体裁を忘れ、中でも男性の唇はダランと垂れ、歯はアイスクリームになり、溶け始めた舌先が涎《よだれ》になって、濡《ぬ》れた唇からこぼれ落ちそうになっている。

「自転車は過去、人類が発明したものの中で一番優れた道具です。自転車はサーカスの花であり、エコ政治のヒーローです。近い将来、世界の大都市の中心から乗用車は姿を消し、自転車に覆い尽くされるでしょう。それだけではありません。自転車と発電機を連結させれば、みなさん家で身体を鍛えられるだけでなく、自家発電できるようになります。自転車で友達の家を訪ねれば、携帯電話もメールもいらなくなります。つまり、自転車以外の機械はすべて不要になるのです。」

いくつか陰ってきた顔があった。機械を売らなければ儲《もう》からないので心配しているに違いない。わたしはますます力をこめて語った。「洗濯機も要らなくなります。自転車をこいで川に洗濯に行けばいいからです。暖房装置も電子レンジも要らなくなります。自転車で山に柴刈《しばか》りに行って、燃やせばいいからです。」そこでクシャッと笑った顔もあったが、ますます灰色にかたまってきた顔の方が多かった。気にしない、気にしない。そんな時は、焦《あせ》らず、のんびり構え、みんなの反応など見て見ぬふりをして、わたしの声に聞き惚《ほ》れる何百何千という観客の喜びに満ちた顔を思い浮かべながら話し続ければいい。ここはサーカス。会議という会議はみんなサーカス。

議長はわたしになんか踊らされてたまるかというように咳払《せきばら》いして、一番近い席にすわった筆髭《ふでひげ》を生やした役人の方を見た。そう言えば、二人はいっしょに会議室に入ってきたから知り合いなのだろう。その役人は葬式でもないのに黒い背広を着て、釘《くぎ》のように痩《や》せていた。「自転車を崇拝し、自動車を否定するのは、オランダなど西側諸国の一部に見られるデカダンとセンチメンタリズムです」と役人が手も挙げないで喋《しゃべ》り始めた。「機械文明を正しい目的のために進化させ、住居と職場を結ぶ交通機関を充実させるべきです。自転車があれば好きな時に好きなところに行けるのではないかと誤解する人が出てきます。これは危険な傾向です。」わたしが反論しようとして手を挙げると、議長が「それでは昼休みにします」と宣言した。わたしはまわりの誰とも言葉を交わさないまま建物の外に飛び出した。駆け出す必要などないのに、休み時間開始のベルを聞いた小学生のように駆け出していった。

幼稚園の頃よく、ちょうどこんな風に外に飛び出した。そうして庭の一番隅の場所を占領して、一人そこで遊んでいた。まるでその場所に特別な意味があるとでもいうように。その場所は日陰でじめじめしてイチジクの木の下にいつもゴミが捨ててあったので近寄る子はいなかったが、それでもたまに後ろからじゃれかかってくる子がいると、前へ投げ飛ばして驚かせた。わたしは力が強く身体が大きかった。

わたしは陰で「とんがり」とか「雪ん子」とか呼ばれていたようだ。そのことを親切そうに教えてくれた子がいた。本当のところ、親切で教えてくれたのか、いじわるな気持ちから教えてくれたのか分からない。わたしはみんなが自分のことをどう思っているのかなんて知りたくもなかった。でも、そう言われてみると、自分だけ鼻の形や毛の色が違っているような気がした。

会議の行われていた建物のすぐ隣に真っ白なベンチのある楽園のような場所が見えたので、そちらに走って行った。ベンチの向こうには小川があって、柳の木が枝先で退屈そうに水面につらっつらっと触れていた。よく見ると枝から淡い緑色の芽がたくさん出ていた。足下の土もモコモコと内側からほこらいで、頭を出した黄色いクロッカスたちがピサの斜塔の真似《まね》をして遊んでいる。耳の穴の中がかゆくなってきた。でも耳の中をほじってはいけない。舞台に立っていた時代は厳しくこの掟《おきて》を守っていたので、今でも耳をほじる気にはなれない。

耳がかゆいのは耳垢《みみあか》のせいであるとは限らない。花粉のせいかもしれないし、高音域にばらまかれた十六分音符をついばんでいる鳥たちの声のふるえのせいかもしれない。桃色の春が急にやってきた。春は一体どんなトリックを使ったんだろう。こんなにたくさんの鳥や花を引き連れて猛スピードでキエフに到着するなんて。何週間も前からこっそり準備していたのか。わたしだけが自分の中の冬をひきずっていたせいで、春が近づいていることに気がつかなかったのか。わたしは天気の話が苦手なので、他の人たちとあまり世間話をしない。そのせいで、大切な情報を聞き逃すことがよくあった。プラハの春という言葉が不意に浮かんだ。そう言えばプラハの春も急にやってきた。なんだか胸がどきどきしてきた。ひょっとしたらわたしの身の上にも大きな変化が起こっている最中なのではないか。それに気がついていないのは自分だけで。凍っていた地面が溶けて鼻の中がくすぐったくなり、鼻汁がドロと垂れ、目のまわりの粘膜は腫《は》れて涙が出る。それが春だ。春は悲しい。春になると若返ると言う人もいるけれど、若返ったせいで子供の頃のことばかり思い出すようになって、思い出が重荷になって、かえって年よりじみてくる。会議ですばやく手を挙げて芸を見せる自分に感心しているうちはいい。どうしてすばやく手を挙げることができるようになったのかなんて、知らない方がいいのかもしれない。

わたしは知りたくなかった。知りたくなくても一度こぼれたミルクはコップに戻らない。つんと鼻をつく乳の甘いにおいがテーブルクロスにしみこんで、わたしは春泣きがしたくなった。幼年期の思い出は蜂蜜のようにつんと甘い。甘いけれど、その甘さを凝縮していくと、にがくなる。母親の記憶がない。母親はどこへ行ってしまったのだろう。食べ物をくれるのはいつもイワンだった。

わたしはその頃まだ身体のその部分をどう呼んだらいいのか知らなかった。そこが焼けるように痛い。はっとその部分を引くと、痛みが消える。でも、そのままバランスをとり続けていることができないで前につんのめってしまう。床と接触した途端に、また痛くなる。

わたしはイワンがすねを柱にぶつけたり、蜂にさされたりして、「痛い！」と叫んだのを何度も見たことがあったので、「痛い」という感覚はどうにか理解できた。でも、痛いのは自分ではなく、「床が痛い」のだと思っていた。なぜなら、わたしではなく、床が変化することによってしか、痛さは消えないからだ。

床が痛いので、両手で床を突き飛ばすようにして上半身を起こしても、身体はまた元に戻って四つん這いになってしまう。次にはもっと強く突き放し、背中を弓のようにそりかえらせて立つ。前足がまた床に降りてしまわないように。あまり反り返りすぎると、今度はよろけて斜め後ろに倒れてしまう。そんなことを繰り返しているうちに、二本脚でしばらく立っていられるようになった。

会議が終わって食事も終わってホテルの部屋に戻り、思い出したことをここまで書いた。慣れないことをしたせいか、疲れが頭上に落ちてきて、そのまま眠ってしまった。翌日目が覚めると、急に年をとったような気がした。これから人生の後半が始まる。長距離走に例えると、自分は今ちょうどその折り返し地点に来ている。これから出発点を目指して走るのだ。苦難が始まった地点に戻れば、苦難は終わるはずだった。

あの頃イワンはよく缶詰を開けていわしを取り出し、すり鉢で擂《す》って、ミルクを混ぜて食事を作ってくれた。わたしが部屋の隅にうんちをしても、文句も言わないで、小さな箒《ほうき》とちりとりを持ってきて取り除いてくれた。イワンは清潔好きで、一日一度は床にホースで水をかけ、大きなブラシでこすっていた。ホースをこちらに向けて、わたしに水をひっかけることもあった。わたしは冷たい水をひっかけられるのが大好きだった。

イワンは暇な時には床に腰を下ろしてギターをつま弾きながら、歌を歌っていた。うら悲しい調べが時々、踊りたくなるようなリズムにかわり、また悲哀の底へと戻っていった。じっと耳をすましていると、遠い国へ行きたくなってくる。まだ行ったことのないその国に心が引きずられて引き裂かれそうになる。

イワンは目が合うと、ふいにこちらに近づいてきてわたしを抱きしめ、頬摺《ほおず》りすることもあった。また、わたしをくすぐって、ころがって、上にのしかかってくることもあった。

モスクワに戻ってからわたしは失敬してきたホテルの便箋《びんせん》に続きを書き始めたが、ここまで書いてわたしは同じ時間をなんども塗り直しているようで、なかなか先へ進めないことにいらだちを覚えた。波が打ち寄せてはまた引いていくように、思い出は寄せてはまた引いていってしまう。次に寄せてくる波は前の波とほとんど同じだけれど、よく見ると少しだけ違う。どれが本当の波なのか分からないまま、わたしも何度も同じことを繰り返し書くしかない。

「それ」がどういうことなのか長いこと分からなかった。まだ一度も檻《おり》の外に出たことがなかったのだから自分という舞台を裏から見ることができなかったのだ。もし一度でも出ていたら、わたしの位置からは見えない場所でイワンが檻の下に設置された釜《かま》に薪《まき》を放りこんで火をつけるのが見えたはずだった。少し離れたところに置かれた大きなチューリップのついた黒い蓄音機も見えたはずだった。檻の床が熱くなってくると、イワンは蓄音機の針をレコード盤に落とす。空気を割ってファンファーレが飛び出してくる。わたしは手のひらに痛みを感じて立ち上がった。

そんなことが毎日続いたので、わたしはファンファーレが聞こえると、もうそれだけで立ち上がるようになってしまった。立ち上がるという意識はその頃はなかったけれど、ある姿勢をとれば痛みはやってこないという知識と、イワンが何度も叫んでいる「立って！」という単語と棒を振り上げる仕草がいっしょに脳に焼きつけられた。こうしてわたしはイワンの言葉を覚えていった。「立て！」「うまいぞ！」「もう一度！」今思えば、わたしの後ろ足にくっついていたあの変なものは、熱を通さない靴だったのだろう。だから後ろ足で立っている限り、床が熱くなってきても平気なのだった。

ファンファーレを聞いて立ち上がり、しばらくバランスをとっていると、イワンが「角砂糖」と叫んで、わたしの口の中に何か押し込んでくれる。「角砂糖」というのは、ファンファーレが聞こえて立ち上がった結果、舌の上でとける快楽の名前だった。

そこまで書くと、いつの間にかイワンが隣に立ってわたしの書いている字をのぞきこんでいる。「元気で暮らしていた？」と訊《き》きたいのに声が出ない。何度か息を吸って吐いている間にイワンの姿は消えたが、その代わりに懐《なつ》かしいぬくもりと焼けるような痛さが胸に迫ってきて、息が苦しくなった。イワンのことを書いたせいでわたしの中で死んでいたはずのイワンが生き返ってしまった。胸をぎゅっと鷲掴《わしづか》みにされるようで苦しく、冷たく透き通った聖なる液体をググと飲めば、耐えられない何かが和らいで消えていくような気がした。上等なウォッカは外貨を稼ぐために国外に出てしまうので簡単には手に入らないが、わたしの住んでいた古いアパートの管理をしているおばさんは人脈だけが自慢でどこかからウォッカを手に入れて隠していることがあった。

部屋を出て、階段を駆け下り、おばさんに「ウォッカありませんか」と訊くと、相手は楔文字《くさびもじ》で書かれたような顔で笑って、「あれが手に入ったの？」と訊いた。人差し指と中指と親指をいやらしく擦《こす》りあわせている。わたしはむっとして、「外貨は持っていません」と答えた。淫猥《いんわい》で楽しい秘密をわたしが「外貨」などと言う無味乾燥な名前でずばり呼んだので腹を立てたのだろう。おばさんはプイと脇《わき》を向いてしまった。すねたおばさんの気持ちをどうにかしてこちらに引き戻さなければ会話が続かない。「おばさん、髪型変えたんですね。似合いますよ。」「それは寝癖ですよ。」「それに靴も新品ですね。」「え、靴？　よく気がついたわね。新品ではないけれど、親戚《しんせき》にもらったのよ。」お世辞を使ってでも会話をつなげていきたいと思うこちらの気持ちだけは通じたようで、おばさんはゾロッとわたしを睨《にら》んで話題を戻した。「あんたお酒はあまり飲まない方でしょう。どうして急にウォッカなんて言い出したの？」「子供時代のこと思い出していたんです。そうしたら、息が苦しくなってきて。」「何か嫌なことでも思い出したの？」「いえ、嫌であるかどうかよく分からないんですけれど苦しいことは確かなんです。」「忘れたいことがある時に飲むなんてだめよ。そんなことをしていたらアル中になって、そのうち上の階の役人さんのようなことになりますよ。」そう言われて、大人の身体《からだ》の重みが石畳に叩きつけられた時のどさっという音を思い出し、ぞっとした。

「忘れたいことがあるなら、日記でも書けばいいでしょう。」おばさんが意外にインテリめいたことを言うので驚いてよく聞いてみると、先週「蜻蛉《かげろう》日記」を読んだばかりなのだそうだ。その頃ロシア語訳が出て、何万部出したのか知らないが、売り出し前に売り切れになったそうだ。おばさんはコネがあるので一冊手に入れることができたことを自慢した。「あなたも思い切って書くといいわ。」「でも日記ってその日にあったことを書くんでしょう。そうではなくて、昔のことを思い出して書きたいんです。思い出せないことを書くことで思い出したいんです。」そう言ってみると、管理人のおばさんは、「それなら日記ではなく自伝を書けばいいでしょう」と変にあっさりと答えた。

そもそもわたしが華やかなサーカスの舞台と縁遠くなり、いろいろな会議に参加するようになったのにはわけがある。サーカスの花形として舞台人生の頂点にあった時代、キューバのある舞踏団の訪問を受けて共演した。初めはそれぞれの団体が独自の出し物を披露し、それを交互に舞台に載せるという並列式コラボレーションのはずだったのが、わたしは中南米の踊りを一目見てすっかり惚《ほ》れ込み、自分の出し物にも取り入れたくなって猛練習し始めた。それがいけなかった。腰を激しく振って踊ったせいか、膝《ひざ》を痛めて舞台に出られなくなり、普通なら射殺されるところだったが、幸い管理職に移ることができた。

自分では事務の仕事に向いているなんて思ってもみなかったが、さすが当局は見るべきところはちゃんと見ている。わたしには、生まれつき事務能力があり、大切な請願書とそうでないものはすぐにかぎ分けることができたし、時計がなくても約束の時間はきちんと守ったし、数字の世話にならなくても人の顔だけ見ていれば予算を割り出せるくらい計算能力があったし、どんな無理な計画でも上手《うま》くくだいて説明して関係者たちを説得するのが得意だった。

わたしにできる仕事は山ほどあった。バレエ団やサーカス団の海外公演の準備、広告の依頼、新人募集、書類の作成、そして何より会議に参加することがわたしの主な仕事になった。

そんな生活に不満はなかったのに、自伝を書き始めてから、会議に出るのがいやになってしまった。家で机に向かって鉛筆をなめていると、そのままずっとなめながら、できれば一冬中《じゅう》人に会わないで自伝と取り組んでいたくなる。書くという行為は冬眠と似ていて、端から見るとウトウトしているように見えるかもしれないけれど、実際は穴の中で記憶を生み育てているのだ。うっとりと鉛筆をなめていると、明日「芸術家の労働条件」について会議があるから参加してくださいという速達が来た。

会議というのはうさぎのようなもので、会議が会議を生み、放っておくと、みんなが毎日出ても間に合わないくらいに増えてしまう。会議の数を減らす工夫をしなければ、どんな機関もやがて会議につぶされてしまうだろう。どうやったら会議をさぼれるかということばかり考えながら暮らす人が増えていく。会議を休む言い訳ばかりが発達して、インフルエンザと親戚の不幸が蔓延《まんえん》する。わたしには家族はいないし、インフルエンザにはかからない体質なので、言い訳が作れない。だから手帖《てちょう》にびっしりはびこる黴《かび》のような書き込みから逃げられないまま月日が流れていった。会議だけではなく、接待や晩餐《ばんさん》会、歓迎会、会食も多い。唯一嬉《ゆいいつうれ》しいのは肥《ふと》れることだ。舞台で踊る代わりに会議室の椅子《いす》に座り、衣の厚いピロシキに指を汚し、脂《あぶら》の浮いたボルシチを飲み、スプーンをシャベルのように動かしてキャビアを食べていれば、脂肪をたっぷり蓄えることができる。このまま肥ってのんびり暮らしたいと思っていた矢先、春といっしょに湧《わ》き上がってきた幼年時代の記憶に激しく揺さぶられハシゴから落ちた気分だった。安定しているように見える日常も明日にも壊れるかもしれないということが分かった。抜け目なく組織された連邦、英雄の銅像のような立派な自分像、浮き沈みのない気分、規則正しい生活、どれも実は崩壊寸前だった。沈みかけた船に乗り続けていることはない。自分から海に飛び込んで泳ぎたい。会議参加を断るのは初めてだった。断ったら自分の生存理由はなくなるので消されてしまうのではないかという不安はあったが、自伝を書き続けたいという欲望は死への不安の三倍くらい大きかった。

自伝を書くというのは本当に奇妙な感触だった。それまで会議でしか使っていなかった言語というものを使って、自分の身体の柔らかいところにさわるというのは、禁じられたこと、恥ずかしいことだという気がしてしまう。だから書いたものを誰にも見られたくないと思っていたくせに、自分の書いた字がびっしり並んでいるのを見たら、どうしても誰かに見せたくなってしまった。ちょうど幼い子供が排泄物《はいせつぶつ》を見せたがるのと同じかもしれない。いつだったか管理人のおばさんの娘が小さな子を連れて遊びに来ていて、わたしが部屋に入っていくと、ちょうど、おまるに出したての暖かい茶色いお団子を自慢して親に見せているところだった。あの時は驚いたが、今になってあの子供の気持ちが分かった。子供にとって排泄物は誰の手も借りずに、たった一人で完成させた唯一の生産物なのだ。自慢したくなっても無理はない。

わたしは書いたものを誰に見せようかと頭をひねった。管理人のおばさんは危険すぎる。どんなに親しそうにしていても、上からの命令でアパートの居住者を見張っている仕事柄、どんな告げ口をされるかわからない。一体誰に見せたらいいんだろう。親は物心ついた時にはもういなかったし、同僚たちはわたしを避けていたし、友達と呼べる人はいなかった。

いろいろ考えているうちに、昔の知り合いで今は文芸誌の編集長になっているオットセイのことを思い出した。わたしの舞台人生がまだ花盛りだった頃、オットセイはわたしのファンで、大きな花束を持って何度も楽屋に押しかけてきた。

オットセイの外見はどう見てもセイウチだったが、渾名《あだな》がオットセイなのだからそう呼ぶしかない。本名は忘れてしまった。オットセイはわたしを舞台で初めて見た瞬間、蚊に刺されてマラリアにでもかかったように熱をあげてしまったそうで、「この病気は一生なおらない」と自分で言い切っていた。楽屋に通い詰めた末、ここまで不似合いな身体でなければ枕《まくら》さえ交わしたいと言いだした。

わたしたちが性交するにはあまりにも不似合いな身体を持っていることは、初めから感じていた。何しろ彼は濡《ぬ》れてつるつるした体質で、わたしは乾いてごわごわしている。彼は髭《ひげ》が立派で恰幅《かっぷく》がいいが、手足の末端がしぼんで力がない。それとは対照的に、わたしは手足の末端に力がこもる体質だった。彼は若い時から頭がはげているが、わたしは頭だけでなく下の方も毛がふさふさしている。とてもお似合いのカップルとは言えない。それでも一度だけキスしたことがある。その時のことを思い出すと、魚みたいな舌がちょろちょろ動く感触がよみがえった。歯並びは悪かったけれど、虫歯一本ない男だった。それは本当に立派なことだと思う。どうして虫歯がないのか訊くと、甘い物を絶対に食べないのだそうだ。甘い物がなければ人生の良い部分を何に例えたらいいのか分からなくなってしまうわたしにはとても真似《まね》できない。

オットセイとはもう長いこと逢《あ》っていなかったけれど、いつも出版社のカタログを送ってくれていたので生きていることは分かっていた。カタログには住所も書いてある。勇気をふりしぼって、予告なしで会いに行くことにした。

出版社は「北極星」という名前で、モスクワの南の外れにあった。外から建物を見た限り、全く出版社だということが分からない。建物の中には若い男が一人立って煙草《たばこ》を吸っていて、「この建物に何かご用ですか」と厳しく訊くので、オットセイの名を出すと「こちらです」と言ってロボットのように歩き出した。壁紙がやけどした肌のようにだらんと垂れた廊下を奥へ奥へと入っていくと、最後に緑色の扉に辿《たど》り着いた。窓はなく、天井は低く、山積みになった紙は煙草の煙ですべて燻製《くんせい》になっていた。

オットセイはわたしを見ると平手打ちでも受けたように顔をそむけて、「何か用ですか」と冷たく訊《たず》ねた。かつてのファンほど危険な者はないことを思い出したがもう遅い。わたしはみじめな元スターで、それが処女作を抱えて編集長の前で、もじもじしているのだ。わたしは、玉とか三輪車とかオートバイとかいろいろなものに乗った経験がある。でも本を出そうとするのは、それよりずっと危険な芸当なのではないか。

わたしは用心深く鞄《かばん》を開け、ホテルの便箋に書いた文章を黙って差し出した。オットセイは不思議そうにわたしの鼻を見ていたが、字が目に入るなりレンズの丸いめがねの位置をなおし、背を丸め、食いつくように読んだ。一枚目をめくり、二枚目をめくり、気のせいか目尻《めじり》が少しずつ垂れていった。数枚読むと、髭を撫《な》で、鼻の穴をふくらまして、「君が書いたの?」とふるえる声で訊いた。うなずくと眉《まゆ》をしかめ、急に眠そうな目をして、「預かっておこう。でもあまりにも短いから、がっかりだね。もっと書いて来週もってきてくれないかな。」わたしがどう答えていいのか分からず黙っていると、相手は勢いづいて、「それにしても、こんな紙しか持ってないとはねえ。可哀想《かわいそう》に。よかったら、これを持って行っていいよ。」そう言ってオットセイが手渡してくれたのは、アルプス連峰の透かし模様が入ったスイス製の便箋とノートとモンブランの万年筆だった。

家に駆け戻って、早速便箋の表面に「わたしは立ちあがるとイワンの臍《へそ》くらいの背丈になっていた」と書いてみた。表面は細やかながらめりはりのある繊維質になっていて、かりかりと書くと、蚊に刺されたかゆいところを搔《か》いているみたいで気持ちがいい。

わたしは立ちあがるとイワンの臍くらいの背丈になっていた。ある朝、変な乗り物に乗ってイワンが目の前に現れた。ひとしきり乗り回してから降りて、「三輪車」と言いながら、その三輪車なるものをわたしの両脚の間に押し込んだ。ハンドルをちょっと嚙《か》んでみた。堅い。イワンが時々投げてくれる灰色のパンよりずっと堅くて、歯がたたない。わたしは降りて床にすわって、三輪車をいじりまわした。イワンはしばらく好きにさせていたが、また三輪車をわたしの股《また》の間に入れた。しばらくそのままにしていると、角砂糖が口の中に入った。次の日、イワンの手に教えられて、ペダルに足を載せてぐっと踏むと三輪車が前に進んでまた角砂糖がもらえた。こげばこぐほど、面白いように角砂糖がもらえる。そのままいつまでも遊んでいたかったのに、イワンは三輪車を取り上げて、どこかへ姿を消してしまった。そのうち、三輪車が現れると、わたしは自分から乗ってこぐようになった。一度覚えてしまえばたやすい芸だった。

嫌な思い出もある。ある朝、イワンがウォッカと香水のにおいをぷんぷんさせて現れたので、気分がむしゃくしゃして、三輪車を持ち上げてイワンに投げつけてしまった。イワンはうまく身をかわしてから、手をふりまわして怒鳴り散らした。角砂糖が出なかっただけでなく、鞭《むち》が飛んできた。そのことからわたしにもだんだん分かってきた。世の中には三種類の動作がある。角砂糖の出る動作、鞭の飛んでくる動作、鞭は飛んでこないけれど角砂糖も出ない動作。こうしてわたしの脳味噌《のうみそ》の中に三つの引き出しができて、外から入ってくる郵便物はその三つのカテゴリーに振り分けられることになった。

ここまで書いて翌週、オットセイのところに持って行った。外はさわやかな風が吹いているのに、出版社のある建物の中は安物の煙草の煙でいぶされていた。書き物机の上には鳥手羽の骨が皿に山盛りになってのっていて、そのむこうでオットセイは小鳥のくちばしのように器用にようじを動かしながら歯をほじくっていた。

びっしり字で埋まった便箋《びんせん》数枚をわたしが差し出すと、オットセイはすぐに食い入るように読み、咳《せき》をして、欠伸《あくび》をして、「短いね。もっともっと書いてよ」とだけ言った。態度が横柄《おうへい》なのでこちらは腹が立って、「もっと書くか書かないかはわたしの自由でしょ。書いたら何くれるの」とかつての舞台の花形の自信を一時的に取り戻して迫ると、オットセイはわたしが何か欲しいと言うとは思ってもみなかったようで、ぎょっとして、あわてて引き出しをあけて、チョコレートを出してくれた。オットセイは顔をそむけて、「東ドイツの製品だ。甘い物は食べない主義だからあげるよ」とだけ言った。「騎士」という銘柄のチョコレートで、包み紙のデザインや使ってあるインクがどうも東ドイツらしくない。どうせ西側の外国人からもらったんでしょう。こっそり何か取引でもしているんでしょう。言いつけてやるから。そう言ってやろうかと思ったけれど口には出さず、チョコレートをバッキンと音を立てて手で折ると、すぐに真っ黒な分厚い真四角の板が全部出てきた。味はすこし苦かった。「原稿の続きを書けば、そんなチョコレートなら何枚でもあげるよ。まあ、それ以上書くことがあるのかどうか、それは怪しいものだが」と言って、オットセイはもうお前にかかわっている時間はないのだとでも言うように、忙しそうに書類に目を戻した。

くやしいので家に帰ってすぐに机に向かった。くやしさほど燃えやすい燃料はない。くやしさをうまく使えば、燃料を節約して生産活動ができるのではないか。でも、くやしさは森へ行って集めてくるわけにはいかない。誰かがくれる大切なプレゼントだ。あまり踏ん張って書いたので、モンブランの万年筆の先が曲がってしまい、紺青色のインクが血のようにだらだら流れ出てきた。わたしの白いお腹がインクで染まった。暑いので裸で原稿を書いていたのがいけなかった。インクは洗ってもなかなか落ちなかった。

わたしはフリルのスカートをはかされても、頭にリボンをつけられても、すぐ食いちぎったりしなくなった。「女の子なんだから我慢して」とイワンに言われたその意味はのみ込めなかったが、角砂糖ならいくらでものみ込めた。身体に物をつけられることに次第に慣れていっただけでなく、恐ろしくまぶしい光を当てられても動揺しなくなった。人がたくさんいて、がやがや騒いでいても、気分がざわめくことはなかった。そうしてある日、スポットライトを浴びて、ファンファーレの合図で、三輪車に乗って舞台に登場した。フリルのスカートをはいてリボンをつけていた。三輪車から降りて二本脚で立ってイワンと握手して、それから玉に乗ってバランスをとってみせた。大雨の音そっくりの拍手を浴び、角砂糖がイワンの手のひらから泉のように湧いて出てきた。それが口の中で溶けていく感触と、満員の観客席の人間たちの毛穴から発散される喜びがいっしょになって、わたしは酔っぱらってしまった。

翌週やっとここまで書いてオットセイのところに持って行った。オットセイはつまらなそうな顔で一気に読み終わると、「来月、雑誌にあきが出てしまったから、載せるよ」とぶっきらぼうに言って、また西側のチョコレートを一枚くれた。「うちは原稿料は出せない。収入が必要なら、作家同盟にでも入れてもらったらどうだ。」オットセイはわたしに下心を読まれてしまうことを恐れているのか、後ろを向いてしゃべっていた。

それからしばらくして、わたしはある会議に参加するためリガに飛んだ。参加者たちが数人こちらを見ている。いつもの警戒するような目つきではない。どこかおかしい。わたしの知らないところで、何かが起こっていた。休憩時間にひそひそ話をしている人たちの所へ近づいていくと、急にラトビア語に切り替えてしまったので、話に入れなかった。仕方なく廊下の隅に立って窓の外を見ていると、めがねをかけた男が寄ってきて、「読みましたよ」と言った。それに勇気付けられたのか、もう一人別の男が近づいてきて赤い顔で、「面白かったです。続き、期待してます」と言った。その男の妻らしい女も寄って来て、「あなた、よかったわね、著者と話ができて」と夫に言いながら、わたしに微笑《ほほえ》みかけた。いつの間にか、まわりに人垣ができていた。どうやらオットセイのやっている雑誌に、わたしの書いた文章が出ていたらしい。そのことをわたしに知らせないなんて、オットセイのやり方は許せない。

会議は早めに終わったので町に出て、目抜き通りの大きな本屋へ入って訊いてみると、「例の評判の」雑誌はとっくに売り切れだと店員が言う。店員はわたしの顔をじろじろ見ながら、「向いの劇場で今トレープレフの役を演じている役者も一冊買っていきましたよ。今夜も上演があります」と教えてくれた。

あわてて本屋を飛び出し、劇場の戸を激しくたたいたら、ガラスにヒビが入ってしまった。幸い誰も見ていなかったようだ。ただ一人、ポスターの中で眉をしかめている若い男がわたしに向かって目配せしたような気がした。

公園で水を飲み、近くのキオスクで外に飾られた新聞を立ち読みして時間をつぶし、公演一時間前に劇場に戻って、受付窓口の女性に「トレープレフに話があるんです」と言うと、「公演前ですから、役者とは面会できませんよ」とあっけなく断られた。

仕方なくチケットを買って、公園のベンチでまた水を飲んで更に一時間やり過ごし、劇場の入り口から堂々と観客席に入った。

わたしは恥ずかしいことにそれまで演劇というものを観《み》たことがなかった。自分の仕事に追われてそれどころではなかったのだ。わたしにとって、サーカスと演劇とは、ちょうど西側諸国と東側諸国のように厚い壁で隔てられていた。でもそれは食わず嫌いと同じで大変なまちがいだったと思う。サーカスもスピード感や悲哀やユーモアを組み合わせてプログラムを組むのだから、演劇から学ぶことは多かったと思う。もし演劇がこんなに面白いものだと分かっていたら、まだ自分も舞台に出ていた頃に観ておけばよかった。

この日の芝居で特に気に入ったのは、おいしそうなカモメの死体が出てきた場面だった。

芝居がはねてから、舞台裏の楽屋に忍び込むと、天井の低い部屋はおしろいのにおいがして、壁に一列に取り付けられた鏡の前には化粧品が散らばっているだけで、役者たちはまだ戻っていなかった。化粧台の上にお目当ての文芸誌が置いてあるのが眼に入った。手に取って読んでみると確かにわたしの書いた文章だけれど、題名はつけた覚えがないし、つけてくれと頼まれた覚えもない。オットセイの奴《やつ》、「涙の喝采《かっさい》」

なんて勝手に安っぽい題名をつけて、しかも「第一話」と銘打っている。作者の了解を得ないで連載にしてしまうなんて横暴すぎる。

がやがや音がして、汗と薔薇《ばら》のにおいがもつれ合いながら流れ込んできた。役者たちは、わたしを見て腰を抜かした。わたしが雑誌を手にとって、あわてて言い訳がましく「涙の喝采の作者です」と言うと、役者たちの顔に浮かんでいた恐怖が口の周りから額に向かって順々に感嘆に変わり、まばたきが激しくなり、お辞儀しながら、「まあまあ、それは、それは、どうぞ、どうぞ」と言いながら椅子《いす》を勧めてくれた。椅子にすわろうとするとミーシときしんだので、すわるのはやめた。「サインをください」と言われて顔を上げると、トレープレフだった。石鹸《せっけん》と汗と精子のにおいがした。

その夜、飛行機でモスクワに戻って、自分の家のなじみ深いにおいのするベッドに横たわった。いよいよわたしは作家になってしまった。なかなか寝つけないのでミルクを沸かして蜂蜜《はちみつ》を溶かして飲んだ。子供の頃から、夜は寝なければいけない、朝は早く起きて、練習に励まなければいけないと教えられてきた。でも子供になるその前には、もっと月を見て、お日様の光を感じ取って、毎日ずれていく暗さと明るさをしっかり捕らえて、自然に寝たり起きたりしていたような気がする。子供になるということはすでに自然を失うということ。子供になる前のことがどうしても知りたい。

寝室で一人天井を睨《にら》んでいると、天井のしみがエビに見え、エビとは似ても似つかないトレープレフの細面の顔が浮かんだ。芝居をして、恋をして、彼もやがては死んでいく。その前に、わたしも死んでしまう。その前にオットセイも死んでしまう。みんなの死んだ後、思い残したこと、言い残したことが、プアプア空中を漂って混ざり合い、靄《もや》になって地上に残るかも知れない。まだ死んでいない者たちはそれを見てどう思うのだろう。「今日は霧が深いねえ」とつぶやくだけで、死んだ人のことなんか思い出してもみないんだろうか。

眼がさめるともう昼近かったので、あわててオットセイの所へ出かけていった。「雑誌の一番新しい号をちょうだい。」「もうないよ、売り切れだから。」「わたしの書いた自伝が載っていたでしょう。」「ああ、それも出ていたかもしれないな。」「どうして一冊くれないの？」「郵便で送れば当局に没収されてしまう危険があるから直接届けるつもりだった。でもごらんの通り忙しくて、いつの間にか取って置いた分もなくなってしまったんだ。君は何を書いたか自分で覚えているだろうから、読まなくてもいいだろう。」オットセイはあっけらかんとしている。そう言われればその通り、わたしは何が書いてあるのか知っているのだから読む必要はない。

「ところで第二話の締め切りは来月初めだから、遅れないように」と言ってオットセイは咳払いした。「どうして勝手に連載にしたの？」「あんなに面白い話、一回で終わりでは残念だろう。」おだてられると、わたしの怒りは溶けてしまう。でも題名のことは許せない。「わたしが涙の出ない体質だって分かっているくせにどうしてあんな題名つけたの。」オットセイは困ったように屁理屈《へりくつ》を捜している。今度はどうやら屁理屈という粉がなかなか見つからないので、その粉を捏《こ》ねて嘘《うそ》のパンを焼くことができなくて困っているようだった。わたしは攻撃態勢に入った。「気分だけで題をつけないで、ちゃんと意味を考えてよ。涙なんて人間の感傷でしょう。わたしは氷と雪の女だって分かっているでしょう。簡単に溶かして涙なんていう水にしてほしくなかった。」オットセイはやっと屁理屈を思いついたようで、髭《ひげ》を動かしてにやっと笑った。

「君は涙と聞けばすぐに自分の涙のことだと勘違いしているね。自意識過剰だよ。涙は読者が流すもので、作家は黙って締め切りを守ればいいんだ。」これでは手も足も出ない。わたしは手足がしっかり発達した堂々とした体格をしているのだけれど、こういう時には自分の方が手も足も退化したセイウチになってしまったように感じる。

「それで文句ないなら、そろそろ家に帰ったら？　僕も忙しいんでね。」すぐ手が出るのがわたしの癖なんだけれど、この時は舌くらいしか出すものがなかった。舌を出すと甘い味を思い出した。「ところでこの間もらった西側のチョコレート、とても美味《おい》しかったけれど、もっとないの？　誰か西に友達でもいるの？」と言ってやると、オットセイはあわてて一枚引き出しから出してこちらへ投げた。

家に帰るといつの間にか机に向かっていた。オットセイには腹を立てていても、作家の喜びという罠《わな》にみごとに足首を挟まれ、身動きが取れなくなっている。オットセイのような奴は中世にはもう完璧《かんぺき》な罠を作る技術を持っていたようで、熊《くま》を捕っては花輪をつけて道で踊らせた。民衆が喜んで拍手喝采、お金を投げてくれる。騎士や職人はそんな大道芸人を軽蔑《けいべつ》するかも知れない。迎合、媚《こ》び、隷属《れいぞく》、依存。でも踊る者の心には、観衆といっしょにトランス状態に入りたいという願いもある。目には見えない霊と交わりたいという願いもある。民衆に媚びているわけではない。

まだ子供だったわたしも興行中は毎日舞台に立った。他の芸は観ることができなかった。ライオンの吠《ほ》える声が記憶のどこかに残っている。イワンの他にも、いろいろな人間たちが絶えずわたしのまわりにいて、氷を持ってきて床にまいたり、食器をかたづけたりしてくれた。起こさないようにと思うのか、わたしが寝ていると声をひそめて、つま先だって側《そば》を通り過ぎていった。眠りは浅くてねずみがちょこちょこと部屋の隅を走り過ぎていくだけで目が覚めてしまう。イワンは自分が強いにおいを発していることも知らないらしい。

感覚の中では嗅覚《きゅうかく》が一番頼りになる。それは今も変わらない。耳に聞こえる声は、蓄音機やラジオなどの機械から出てくる嘘の声であることが多い。目に見えるものも嘘が多い。カモメの剝製《はくせい》、熊の着ぐるみを着た人間。みんな見かけだけだ。でも、においでだまされたことはまだなかった。煙草《たばこ》男が通る、葱《ねぎ》女が通る、革靴を新調した男が通る、生理中の女が通る。香水をつけていると、その裏にある汗やワキガやニンニクなどのにおいがかえって強調されることを人間たちは知らないようだ。

雪野原が視界を覆《おお》い尽くしている。白以外の色がない。わたしは空腹で、胃が痛い。雪ねずみのにおいがする。ねずみは雪の下の浅いところにトンネルを掘って進んでいく。雪に鼻をつけ、そっと進むとにおいはどんどん強くなっていく。眼には見えなくてもねずみがどこにいるかは歴然としている。すぐそこの雪の下にいる。今だ。はっとすると、わたしは白い雪ではなく、白い紙に向かってすわっていた。

初めての記者会見のことを思い出した。カメラのフラッシュが雷のように網膜に割り込み、舞台の上でわたしと並んだイワンは、肩も胸も寸法の大きすぎる背広を着て堅くなっていた。いつもの公演の時と違って観客席には十人くらいしか客がいなかった。「記者会見だよ」とイワンはわたしの耳の中に聞き慣れない言葉を流し込んだ。

わたしたちは舞台に一列に並んですわった。フラッシュの光が騒がしく降りかかってきた。イワンの上役がイワンの向こう側に座っていた。この男のポマードのにおいと、臆病《おくびょう》なのにどこか残酷げな手の動かし方にはどうもいらいらさせられる。近くにいるとつい歯をむき出してしまいそうになる。本人もそれを知っているらしくて近くには来たことがない。

イワンの上役は「サーカスは労働者の娯楽の中でも上質なものです。なぜなら」と重々しく演説をぶとうとしたが、「これまで動物に噛《か》まれたことがありますか」という記者の質問に遮られ、黙ってしまった。イワンは、「熊の言葉が話せるというのは本当ですか」とか「熊に魂を奪われると早死にするというのは迷信ですか」とか十人十色の質問を紙ふぶきのように全身に受けていたが、何を訊《き》かれても答えは要領を得ず、「それはえっと、あの、僕は、どうも、いや、失礼、つまり、あの、別に」という具合だった。それなのに翌週は国内の重要な新聞だけでなく、隣国ポーランドと東ドイツの新聞にまで大きな記事が載った。

作家になるということがそこまで人生を変えてしまうとは思ってもみなかった。正確に言えば、わたしが作家になったのではなくて、書いた文章がわたしを作家にしたのだった。結果が結果を生んで次々、自分でも分からないところにどんどん引っ張られていく。それが作家になるということならば、玉乗りよりもっと危険な芸なのかもしれない。玉乗りも骨の折れる芸で、実際に骨を折ったこともあるけれど、最終的には習得できた。おかげで転がるものの上でバランスを取る自信はある。作家生活という玉乗りの玉はどこへ転がっていくのか。真《ま》っ直《す》ぐ進めば舞台から落ちてしまうから、自転しながら公転し円を描き続けるしかない。

ものを書くのは狩に出るのと同じくらい疲れる。獲物のにおいがしても捕まえられるとは限らない。お腹が空《す》くから狩をするのだけれど、お腹が空いていると上手《うま》く狩ができないので、狩に出る前にレストランでフルコースを食べてから出かけるのが理想なのだけれど、それがだめならせめて狩に出る前には全く動かないでいられたらどんなにいいだろうと思う。昔は冬になるとほとんど活動しないで毎日うとうとして暮らす者が多かったそうだ。世の中をかえりみず、春が来るまで引きこもっていられれば、どんなにいいだろう。暗くて音がしなくて何もしないでいいのが、本当の冬だ。都会では冬が縮んでしまったせいで寿命まで縮んでしまったような気がしてならない。

デビューと記者会見のことはかなりはっきり思い出せたが、それ以後の思い出が続かない。ただ働き続けて、冬が来ないまま十年くらい灼熱《しゃくねつ》の中で働き続けた。つらいことも痛いこともみんな出世の肥やしになってしまって、記憶に残っていない。レパートリーも語彙《ごい》もどんどん増えていった。でも、芸とは何かを理解した瞬間のあの驚きはもう二度と訪れず、それからは新しい芸を次々覚えていくだけだった。それはちょうど工場労働者がたとえ時々新しい部署に移され、より複雑な仕事をまかされてもやはり単調な仕事を強いられていると感じ、なかなか職人の誇りを持てないのと同じで、サーカスの仕事さえベルトコンベアー化することがあるということかもしれない。これは「労働者の誇り」というシンポジウムでも発言したことだ。

ここまで書いてオットセイのところに持って行くと「政治批判のようなことは書かない方がいいよ。哲学的なことも書かない方がいい。君がワイルドな精神を持ちながらどんな気持ちでどうやって芸を覚えたのかを読者は知りたがっている。君の考えていることではなくて、体験したことだ」と言われた。なんだか腹が立ったので、家に帰る途中に国営市場で菜の花の蜂蜜を一瓶買って、手ですくって一気に全部なめてしまった。

それから政治的なことを書くまいと気をつけながら書いてみた。

わたしには三輪車に乗る才能があったのでそれを練習して上手くなり、誰にも真似《まね》できないくらい上手くなったのでその芸を見せていると観客は考えるかもしれない。でも実際は、わたしには選択の余地がなかった。三輪車に乗れば、角砂糖となってまわりの人間たちの喜びが伝わってくる。三輪車を投げつければ、食べる物ももらえず、鞭《むち》が飛んできてみんなの憎しみがからだに刺さる。イワンだって同じだ。選択の余地がない。サーカスに属してはいなかったけれど公演前に来ていっしょに練習して舞台音楽を担当していたピアニストだって同じだ。弾くか弾かないか選択の余地があったわけではない。追いつめられて、その場その場でできる最大限のこと、最小限のことをやっていただけだ。わたしはイワンに暴力を受けたわけではない。無理して体力を注ぎ込んで、余計な動作や無駄な踊りを見せているわけでもない。選択の余地なんかない。自分のできることがほんの少ししかないからだ。それをやらなければ死んでしまうというだけのことだ。もしわたしが体力的にできなくなったり、イワンのやる気が折れたり、観客の関心が薄まったり、つまり一つでも支えがなくなるともうその芸はなくなってしまう。

オットセイのせいで雑誌に載ってしまったわたしの文章は、ロシア語の読める外国人たちの目にもとまった。西ベルリンに住んでいるアイスベルグというロシア文学研究家が早速ドイツ語に訳し、文学雑誌に発表してしまった。新聞でそれが取り上げられ、続きが読みたいという読者の手紙も届き、こちらで第二話が発表されて間もなく、あちらではその訳が発表され、カノンのように、翻訳が後を追っかけてくることになった。翻訳に追っかけられることになると、わたしは猫に追われるネズミのように、休みなく先へ先へと進むしかなくなった。

アイスベルグ氏が無断でわたしの書いたものを翻訳して雑誌に送ったわけではなく、どうやらオットセイがわたしの許可も取らないで版権を売って、外貨を自分のポケットにねじこんでしまったらしい。そうに違いないとアパートの管理人のおばさんに入れ知恵され、問い詰めると、オットセイはそんなことはしていないと言い張る。オットセイはなにしろああいう肌をしているので、嘘をついても顔が赤くなることはない。しかも憎まれ口をきいて「翻訳の管理なんかしている暇があったら続きでも書いたらどう?」と言ってつんと横を向いてしまった。

腹の中にむかむかが溜《た》まって、どこかへはき出したくなった。そこで自分でも卑怯《ひきょう》だとは思ったけれど、公衆電話からオットセイの雑誌社の入っている建物の管理人の男に匿名《とくめい》電話をかけ、「オットセイが外貨を隠している」と言いつけてやった。管理人の男はオットセイが外貨を隠しているだけでなく西側に友達のたくさんいることももう知っていて、しかもオットセイにあらかじめ買収されていたに違いない。でもこういう電話は当局の仕掛けた罠である可能性もあるので、無視することもできない。無視して自分が投獄されては大変である。そこで管理人の男はオットセイに情報を流してから当局に報告した。もちろんこれはわたしの推測に過ぎないので、全部まちがっているかもしれない。とにかく当局が調べた時には、隠してある外貨どころか西側のチョコレート一枚見つからなかったそうだ。

後になって聞いたところによると、オデッサに暮らすある女性がこの年、ギリシャ人観光客から真っ白なトヨタを一台買いとったそうだ。そんな外貨がどこから入ったのかと近所の人たちは首をかしげた。その女性の豪邸にオットセイが入っていくのを見たという人がいる。わたしの版権を売って儲《もう》けたお金でオットセイは秘密の愛人にトヨタを買ったのではないかと思う。

わたしにとって不運だったのは、アイスベルグ氏が才能のある翻訳家だったことだ。彼がわたしの書いた拙《つたな》い文章から芸術的文学作品を作り上げてしまったせいで、やがて西ドイツの新聞にわたしの書いたものを絶賛する評論が載ることになった。しかし、それらの評論を読んだ人の話によると、文芸評論家は、わたしの書いたものを文学的に誉《ほ》めているわけではないらしい。

当時、サーカスで動物を使うことは人権侵害になるので、サーカスに動物を出させない運動が西側では盛り上がっていた。特に社会主義圏では動物が迫害されていると信じられていた。我が国には、西側諸国からの批判を受けて、「愛の調教」という本を書いたアアコワ女史がいる。有名な動物行動学の研究家を父に持つ女史は、シベリアの虎《とら》と狼《おおかみ》に全く鞭や暴力を使わないで芸を教えた体験をインタビューで話し、それを後でまとめて本にした。西ドイツのジャーナリストたちの中には、この本に腹を立てた人たちがいた。「暴力を使わなければ猛獣が芸をするはずがない。この本はサーカスの正当化であり、サーカスは外貨稼ぎのエセ芸術である」といきり立つ西側のジャーナリストたちは、わたしの書いた文章を虐待《ぎゃくたい》の証拠として取り上げた。

当局はわたしの作品が西側諸国で話題になっていることに気づいてしまったようだ。ある日オットセイから「連載中止」の速達が来た。オットセイに個人的には腹が立ったけれど自分の行く末を案じることはなかった。別にオットセイなんかのやっている雑誌に載せてもらえなくても、先を書き続ければもっと冴《さ》えた発表場所が見つかるだろうと思ったのだ。もうオットセイに嫌みを言われながら原稿を催促されることもないだろう。誰にも気兼ねなく家にこもって執筆生活に専念しようと思った。わたしの生活は火を消した後の暖炉のように静かになった。これまでは近所に缶詰を買いに出ただけでも読者に話しかけられたのが、急に誰も近づいて来なくなった。それどころか、人の多い市場でまわりをみまわしても誰とも目が合わない。みんなわざとのようにそっぽを向いている。その頃通っていた事務所から手紙が届いたので喜ぶと、「当分来ないでいい」という連絡だった。キューバから音楽家を呼ぶ企画は、他の人が担当することになったと言う。会議への呼び出しも全くかからなくなった。オットセイだけが文芸誌をやっているわけではないのに、他の雑誌社から依頼が来るということもなかった。みんなで示し合わせてわたしを無視している。そう思うと、原稿を書いていてもむかむかしてきて、手に握ったボールペンで木の机を思いっきり突いてしまった。その勢いでボールペンが半分机に突き刺さって、ばきっと折れた。

筆を折ったり折られたりするのは立派な二本脚の作家の一人芝居かと思っていたら、どうやらそうではないようだ。わたしは、赤ん坊の腕を折るようにいとも簡単に筆を折られてしまった。

そんなある日、国際交流促進会というところから通知が来た。「シベリアでオレンジを栽培するプロジェクトに参加しませんか」と書いてあった。「著名人が参加すればキャンペーンとしても効果的です。」耳の中を薔薇《ばら》の花びらでくすぐられるような気分ですぐに承諾した。

通知をもらった日、ゴミを捨てようと部屋を出ると、アパートの管理人のおばさんがドアの前に立っていた。あわてて言い訳するように「お元気ですか」と訊くので、「今度シベリアに行くことになったんです」ともらったばかりの招待状の中味を漏らすとおばさんは眉《まゆ》をひそめ同情するような眼でわたしを見た。「オレンジを栽培するプロジェクトなんです」とあわてて付け加えたが、相手はほっとするどころか泣きそうな顔になって「これから行くところがあるので失礼」と言って、手提げをぎゅっと抱きしめて通りに消えた。

わたしはとてもナイーブで、イスラエルの砂漠でキウイやトマトの栽培ができるなら、シベリアでもオレンジくらいできるにちがいないと状況を楽観視していた。寒いのは好きだから、自分のような者にはふさわしい土地だとさえ思った。

その日から管理人のおばさんはわたしを避けるようになり、わたしがドアを開けると、それまで廊下にいてもさっと自分の部屋に入って戸を閉めてしまう。そして、カーテンの隙間《すきま》から外に出かけていくわたしをこっそり観察している。用があってノックしても居留守を使われてしまう。

誰とも話をしないでいると耳の中に黴《かび》が生えてくる。舌は物を食べるのにも使えるけれど、耳は声や音を聞くことにしか使えない。路面電車のきしむ音しか聞こえてこないと鼓膜が錆《さ》びてしまいそうだった。せめてラジオでも買おうかと近くの電気屋に行ったが、売り切れていた。質の悪いラジオの音など、機械のきしむ音とそれほど変わらない。便箋《びんせん》を買いに行って、文房具屋の主人にシベリアのオレンジの話をした。すると、「お気の毒にね。でも回避策はあるんじゃないですかね」という答えがすぐに返ってきた。わたしは心配した方がいいのかもしれない。家に戻ると管理人のおばさんがするっと部屋から出てきて、紙切れをこっそり握らせてくれた。そこにはある男の名前と住所が書いてあった。この男を訪ねてみれば助けてくれるかも知れないということなのだろうけれど、ぐずぐずしているうちに一週間たってしまった。

週があけて郵便配達人が頬を火照《ほて》らせて書き留めの封書を運んできた。それは不可解な招待状で、「西ベルリンで行われる国際作家会議に出てほしい、報酬は一万ドル支払う」と無味乾燥な文体で書いてある。読み間違いかと思ってもう一度読んだ。やっぱり一万ドルで、西ベルリンである。なぜそんな莫大《ばくだい》な金額を払ってくれるのか。しかも報酬はわたしに直接払われるのではなくて我が国の作家同盟に払い込まれる、と書いてある。後で考えてみるとビザがすぐに下りるようにそういう支払い条件になっていたようだった。実際ビザは簡単に下り、わたしはそれから二週間もしないうちに、モスクワから東ベルリンのシェーネフェルト飛行場に飛ぶことになった。

短い旅なので荷物はほとんどなかった。飛行機は溶けかけたプラスチックのにおいがして座席はとても狭かった。東ベルリンのシェーネフェルト飛行場に下りると、そこまで迎えに来てくれていた無表情な警官のライトバンで駅に行って、一人、西ベルリン行きの小さな電車に乗せられた。途中、電車の中で旅券審査がまわってきたので持たされていた書類を見せた。

電車は変にすいていて、窓ガラスがあまり厚いので景色がゆがんで見えた。その時、額に何か小さなものが当たった。蠅《はえ》かと思ったら、一つの文章だった。「これは亡命なのだ。」これは誰かが仕組んでくれた亡命で、わたしは何かの危険から逃れられたのかも知れない。

めがねをかけた二十代の女性が一人近づいてきて何か訊《き》いた。「言葉がわからない」と答えると、下手ながらロシア語で、「ロシア人か」と訊く。わたしはもちろんロシア人ではないけれど、どう答えていいのか分からなくてまごついていると、「ああ、少数民族ね。わたしは少数民族の人権について高校生の時にレポートを書いて生まれて初めて満点をもらったんです。今でも忘れられません。少数民族万歳」と言って、わたしの隣にすわった。頭の中が混乱してきた。わたしたちの一族は、少数民族なんだろうか。確かにロシア人と比べると数が少ないような気がする。でもそれは都心部での話であって、北の方へ行けば、わたしたちの方がロシア人よりずっと数が多い。「少数民族の文化は素晴らしいです」と言いながら、めがねの女性は一人ひどくはしゃいでいる。「これからどこへ行くの？ 西ベルリンに友達がいるの？」変にしつこい。スパイかも知れないと思って答えるのはやめてしまった。

列車は少しずつスピードを落としていく。さっきまで窓の外を全速力で駆けていたプラタナスが、今は杖《つえ》をついた人のように歩いている。電車は巨大なドームの中に這《は》い込んで、きしんで停止した。

駅は大きなサーカス小屋だった。手品師のシルクハットから飛び出した鳩たちが、上の方でホウホウ鳴いていた。鉄でできたロバがトランクを背に乗せて脇《わき》を通り過ぎていく。電光掲示板に次の出し物がきらびやかに告知されると、派手な衣装を着て腿《もも》を丸出しにした若い女が得意げに登場する。司会者がマイクでスターの名前を観客に告げる。ホイッスルの音がして、洋服を着た犬が登場する。カウンターにはご褒美《ほうび》の角砂糖が積んである。

きょろきょろしていると、いきなり蜜《みつ》のにおいのする花束を目の前に突き出された。「よくいらっしゃいました。」手のひらが何枚も差し出された。むくんだ手、骨張った手、ほっそりした手、手、手、手、手、手。わたしは政治家のように自分の手を与えて、もったいぶって次々握手していった。

花束は大きかった。でもこれといった芸を見せた覚えがない。それとも亡命が、練習なし命綱なしの一回きりの大きな芸なのか。花束を手渡してくれたのは髪の毛を真っ赤に染めた女性で、満面に好意を浮かべ、何か言いたそうに口を動かしたが、何も言わなかった。隣に立っていた肥《ふと》った青年が代わりに、「すみません。ロシア語ができるのは僕だけなんです。ヴォルフガングといいます。よろしく」と挨拶《あいさつ》した。その隣には汗を額に浮かべた男が右手に「作家をシベリアでのオレンジ栽培に参加させない会」と書かれた旗を持ち、左手には大きな鞄《かばん》をさげて立っていた。他にも仲間が数人いて、白髪の男性も含めて、みんなアイロンをかけたジーパンをはいて、よく磨かれた黒い革靴を履いていた。制服なのかも知れない。

みんなの話していることはさっぱり分からなかった。彼らは一人また一人と姿を消し、最後にはわたしとヴォルフガングだけが残された。「さあ、行きましょう。」

左右に立ち並ぶ建物はモスクワと比べると小さめで、ケーキのように飾り立ててあった。自動車はどれもピカピカに磨きあげられ、車体に顔を写してみることができるくらいだった。どういうわけかほとんどの人がジーパンをはいていた。風が吹くと焼け死んだ哺乳類《ほにゅうるい》のにおい、石炭のにおい、香水のにおいが飛んできた。アパートについた。外壁が昨日塗ったようにきれいだった。冷蔵庫を開けると、すばらしい風景がわたしを待っていた。ピンク色のサーモンを紙のように薄く切ってラップに数枚ずつ包装したものがぎっしり詰まっていたのだ。なぜこんな風に包装してあるのかは分からない。一枚あけて食べてみるとちょっと煙かった。漁師が煙草《たばこ》を吸いすぎたせいかもしれない。しばらくして、おいしいと感じた。ヴォルフガングが背後で満足そうに「いい部屋でしょう」と言ったが、わたしは部屋には関心がなく、できることなら冷蔵庫の中に入り込んでそこで暮らしたいくらいだった。わたしの目がサーモンから離れないのを見て呆《あき》れて笑いながらヴォルフガングは「随分たくさん買ってあるでしょう。これで当分、食べ物の方は平気ですね」と言って微笑《ほほえ》んだが、ヴォルフガングが帰るとわたしは一気に全部食べてしまった。

冷蔵庫の上の方が空になると、一番下に別の引き出しがついていることに気がついた。中にはきれいな氷のサイコロがたくさん入っていた。いくつか口に放り込んでがりがり噛《か》んでみた。

台所に飽きたので隣の部屋に行ってみた。テレビがあって、その前に椅子《いす》があった。座った途端に、みしっと音がして脚が一本とれてしまった。居間の奥には浴室があって、移動サーカスのワゴンの中にあるような小さなシャワーがついていた。冷たい水を頭から浴びる。びしょびしょに濡《ぬ》れたまま外に出ると、廊下に水たまりができた。身体《からだ》をぶるぶる振って水を切り、そのままベッドに横たわった途端、くっくっくっと笑いがこみ上げてきた。これそっくりの話を以前読んだことがある。三匹の熊が朝お粥《かゆ》を作る。食べる前に散歩に出ると、留守の間に、その家に人間の女の子が一人迷い込んできて、作ってあるお粥を食べ、椅子にすわってみて壊してしまい、最後にベッドに潜り込んで寝てしまう。三匹の熊は家に帰ってみると、お粥がなくなっていて、椅子が壊れていて、ベッドに女の子が寝ているので驚く。女の子は眼を覚ましあわてて逃げていくが、熊たちはあきれて、女の子を見送っている。わたしはその女の子になった気分だった。こうして寝ている間にひょっとしたら熊たちが帰ってくるかもしれない。

熊は帰って来なかったけれど、ヴォルフガングが翌日様子を見に来た。「調子はどうです？」「熊の絵本に出てくる女の子になったような気分。」「熊の出てくる絵本って、プー？ それともパディントン？」どちらも聞いたことがない名前だった。「わたしの言っているのは、レフ・トルストイの三匹の熊という本」と答えると、今度はヴォルフガングが「聞いたことないなあ」と答えた。

自分とヴォルフガングの間には氷のカーテンがある。でも氷なんて堅そうに見えてもきっと体温ですぐ溶けてしまうだろう。ふざけてヴォルフガングと肩を組もうとすると、ヴォルフガングはするっと逃げ、表情を四角く引き締めて、「紙と万年筆を持ってきた。僕らは君が創作活動を続けることを望んでいる。すぐに取りかかって、なるべく早く仕上げるようにしてほしい。報酬は保証する」と言った。ヴォルフガングの口は嘘《うそ》のにおいがした。嘘にもいろいろなにおいがあるが、この嘘は、意見の合わない上役に言われたことをそのまま繰り返しているだけで自分が言いたいことを言っているわけではない、そういう種類の嘘だった。嘘はついていてもヴォルフガングはまだ若い。ほとんど子供だということがにおいで分かる。ふざけて襲いかかって突き倒すと口をとがらせて「やめろよ」と言いながら、つかみかかってきた。わたしは力が入らないように気をつけながらヴォルフガングを突き飛ばし、そうしてしばらく楽しくじゃれあっていると、ヴォルフガングの身体から嘘のにおいが消えた。

ふいに胃が痛いほどの空腹を感じ、倒れたヴォルフガングをそのままにして台所に駆け込んだ。冷蔵庫を開けた途端、もう鮭《さけ》の紅色の一片も残っていないことを思い出した。ヴォルフガングは後から台所に来て、からっぽの冷蔵庫を見ると、「サーモンはまずくはなかったようだね」などと洒落《しゃれ》た言い方をした。そうやって驚きを隠したつもりらしかった。

頼みもしないのに、翌日もヴォルフガングはやってきて、目をぱちぱちさせながら、どもりがちに「調子はどうだい」と訊いた。「あまりよくない。」わたしは微笑むのが下手なのですぐに怒っているような印象を与えてしまう。そのせいかヴォルフガングは、「よくないって、どうしたの？」とこわごわ訊いた。「お腹が空いてしかたないの。」「それは多分、病気ではないと思うよ。」それはそうだろう。病気などというのは舞台に立たない人間が暇つぶしに行う芝居だと教えられていたせいか、わたしは生まれてから一度も病気をしたことがなかった。「ゆうべは何をして過ごしたの？」「机に向かっていたのだけれど、自伝の続きがなかなか書けなくて。」ヴォルフガングの眼が冷たく光った。「あせらないでいいんだよ。別に誰も無理矢理急がせたりはしないから。」また嘘のにおいがした。わたしはぞっとして、ヴォルフガングが怖くなった。「お腹が空いているんではいい考えも浮かばない。買い物に行こう。」「お金がないの。」「それなら口座を開いて、いつでも自分でお金をおろせるようにしよう。その方が良いって会長も言ってた。」

ヴォルフガングといっしょに外に出て、銀行へ向かう途中、コンクリートでできた巨大な像が道端に立っていた。「あれはサーカス？」「ちがうよ、動物園の門だよ。」「あの柵《さく》の向こうに動物がいるの？」「あの向こうに広い敷地があって、そこにたくさんいろんな柵があって、その中にたくさん動物がいるんだ。」「ライオンと豹《ひょう》と馬？」「百種類以上いると思うよ。」わたしは息をのんだ。

それからしたことは悪いことではないけれど、なんだか後ろめたかった。まず怪しげなロゴのついた建物にヴォルフガングといっしょに足を踏み入れ、カウンターの向こうの男とひそひそ声で相談し、書類を書いて、サインの代わりに指紋を押して、銀行口座なるものを開いてもらった。わたしのカードができるまでにはまだ一週間かかる。ヴォルフガングは機械の前に股《また》を大きく開いて立って、自分のカードを使って、どうやって現金を下ろせばいいのか教えてくれた。それから電車の走る鉄橋の下にあるスーパーマーケットの中を案内してくれた。奥の照明の明るいところにスモークサーモンが並んでいる。「僕はこれから何日か、別の大切な課題を与えられているから、君のところへは来られない。一週間後にいっしょにカードを取りに行こう。それまではこれを食べていてくれ。食べ過ぎないように。」別れ際《ぎわ》にそう言って買ってくれたサーモンは、その夜のうちに食べてしまった。でもそれから数日は何も食べなくても別に空腹ではなかった。

「だめだよ、カナダ・サーモンをどんどん食べたら。」一週間後に私を訪ねてきたヴォルフガングが冷蔵庫をあけて言った。声はとても静かだったが、それは苦労して差別的な表現を避けながら罵《のの》っているみたいで、変に息苦しかった。わたしは自分が芸をしくじったようで悲しかったけれど、でもどうしてカナダという名前のサーモンをどんどん食べたらいけないのか考えようとすると頭が混乱してきた。「どうしてカナダはいけないの」と訊くと、ヴォルフガングは困ったように、「カナダがいけないんじゃない。カナダ・サーモンは値段がすごく高いから貯金がどんどん無くなっていってしまうだろう。お金を節約しないと」と答えた。彼の言おうとしていることはよく分からなかったけれど、「カナダ」という言葉の響きは涼しくて美しかった。「カナダへ行ったことある？」「ないよ。」「どんな国？」「とても寒い国だよ。」それを聞いてわたしは今すぐにでもカナダへ行きたくなった。

「寒い」という形容詞は美しい。寒さを得るためなら、どんな犠牲を払ったっていいとさえ思う。凍りつくような美しさ、ぞっとする楽しさ、寒気のする真実、ひやっとさせる危険な芸当、あおざめる才能、冷たく磨かれた理性。寒さは豊かさだ。

「カナダはとても寒い国なの？」「そうだよ。信じられないくらい寒いよ。」わたしはうっとりととても寒い町の光景を思い浮かべた。建物が透き通った氷でできていて、通りを自動車の代わりに鮭が泳いでいく。わたしは朝も晩も窓を開け放って過ごしていたが、ベルリンはわたしにとってはほとんど熱帯で、二月だというのに気温が零度を上回っていることもあり、とても寝苦しい。わたしはカナダに亡命する決心をした。一度亡命したのだから二度できないことはないだろう。

ヴォルフガングはその日いっしょに銀行にカードを取りに行ってくれて、わたしは生まれて初めて自分で堅くて四角い切れっ端を機械の割れ目に入れて、四回数字の1のボタンを押し、お金の出てくるのを観察した。それから数字の2を何度か押してみた。「何してるんだ。もうお金は出ただろう」とヴォルフガングに叱《しか》られたが、別のボタンを押せばお金ではなくてもっと面白いものがとびだしてくるかもしれないと思ったのだ。

スーパーに入ると、いろいろなにおいがしすぎて、どこに鮭があったか思い出せなくなった。鮭だけ並べておけばいいのに、無駄な物をたくさん売っていた。わたしはヴォルフガングに「これは何？　食べる物？」といちいち説明を求めていくうちに、この世には自分がこれまで見たこともないものがたくさん存在することを知った。むしった葉っぱや、掘り出した根っこ、木から落ちた林檎《りんご》。そういうものを好んで食べる生き物がいるということは知っている。でも、顔に塗る油、爪《つめ》に塗る色、鼻の穴をほじるための棒、どうせ捨てるものをわざわざ入れるための袋、お尻《しり》を拭《ふ》く紙、食べ物をのせて食べ終わると捨てるための丸い形の紙、子供が字を練習するためのパンダの絵のついたノートなどは、発想が奇怪なだけでなく、どれも嫌なにおいがして、触ると手がかゆくなった。

そのうちうんざりして「もう家に戻って、自伝の続きを書きたい」と言うとヴォルフガングはほっとした顔をした。

ところが一人机に向かうと、机が低すぎて自伝が書けない。鼻血を受け止めるように紙が鼻面《はなづら》に突き出されれば、記憶がよみがえってくるのではないかという気がする。ヴォルフガングが部屋にいると書けないので帰ってもらったが、誰とも話ができないのでは寂しくて書けない。

ヴォルフガングはそれから何日も姿を見せなかった。銀行の口座というのは恋人の代用品なのかもしれない。銀行の口座にお金が振り込まれる。それを下ろして買い物に行く。買ったものを食べる。押しかけていってドアを押してボタンを押すと、お金という名前の恋人が出てくる。でもお金そのものは食べられない。スーパーに行くと鮭と交換してくれる。わたしはいくら食べても満腹しなくなった。脳のどこかが退化していくのが自分でも分かる。夜は寝つけず、朝は眠くてなかなか身体を縦にできない。手足がだるく、気分が暗くなっていく。わたしはどんどん退化していく。寒さの中で芸を磨いて舞台に立って拍手を浴びたい。

外に出ると爆音になったオートバイが眼の前を走り過ぎて行った。生まれて初めて小さなオートバイを見た時は、エンジンの音が怖くて近寄れなかったものだ。三輪車はうまく乗りこなせるようになっていたけれど、自転車ではバランスがとれなかったわたしに、バランスをとる必要のない特製のオートバイが届けられた。わたしがエンジンの音を怖がっていると分かると、イワンはエンジンの音に慣れるように、わたしの入っていた檻《おり》の側《そば》で、昼も夜も繰り返しエンジンの音をたてた。そう、わたしは檻に入っていたのだ。そのことを思い出したら、屈辱を感じて、自伝の先を書く気がしなくなってしまった。

鉛筆を放りだして、また町に出た。きつねの死体のようなコートを着た人たちが歩いている。大きなガラス窓が通りに沿って並んでいて、店で売っているものだけでなく、レストランで食事している人のお皿の中味まで、外から丸見えになるように作られていた。道を歩いている人たちはよほど退屈しているようだ。あの人たちは、わたしが檻に入っていた話を読んだら、退屈が紛れて喜ぶかも知れない。

銀行の斜め向かいに本屋があって時々中で働いている男の白いセーターが見えるのがこの間から気になっていた。その日、勇気を出してすぐ前まで行ってみた。誰もいないようなので中に入ると白いセーターの男がいつの間にか店の出口に立っていて、「何かお探しの本があるんじゃないですか」と話しかけてきた。相手が出口をふさいでいるので恥ずかしくても、もう逃げることができない。「自伝ありますか。」「誰の自伝ですか。」「誰のでもいいです。」男は斜め後ろの棚を指して「あの棚、全部自伝ですよ」と言った。いつの間にかそのくらいの会話はドイツ語で交わせるようになっていた。

「自伝」と書かれた棚には十段に渡ってぎっしり厚い本が並んでいたので、がっかりした。どうやら自伝というのは誰でも書くものらしい。「でも全部ドイツ語ですね。」「それはそうですよ。」「それならドイツ語を勉強したい。」「ちゃんと話しているじゃないですか。」「喋《しゃべ》るのは自然にできたんですけど、読めないんです。」「それなら、あちらの棚を見てください。語学の本がいろいろありますから。英語で説明してある教科書がいいんですか。」「いえ、英語ではなくて、ロシア語か、または、あの、その北極語で。」「ロシア語なら、ありますよ。」

語学の教科書はカナダのスモークサーモンよりずっと安かったが、消化には悪かった。語学の教科書というのは機械の説明書のようなもので、文法編は動詞、名詞、形容詞など部品を一つずつ順番に説明してあるけれど、全部読んでも最後に機械を組み立てることができなかった。本の後ろの方に「応用編」という章があって、そこに短い物語が載っていた。それがとてつもなく面白くて、わたしは文法のことなど忘れて、むさぼり読んだ。

主人公は女ねずみ、仕事は歌い手で、「民衆《フォルク》」を相手に歌っている。フォルクがナロードという意味だということは教科書の付録の語彙《ごい》表を見て分かった。民衆《ナロード》というのはわたしは昔は「サーカスの観客」という意味かと思っていたが、舞台を降りて会議に出るようになったころから、そうではないことだけは分かってきた。でも本当はどういう意味なのかと訊《き》かれるとやっぱり分からない。分からないけれど、分からないと困るというほどでもない。

とにかく民衆は真剣に耳を澄まして女ねずみの歌を聞いてくれる。真似《まね》をしたり笑ったり騒いだりする客はいない。わたしはどきっとした。わたしの観衆も同じだった。

二本脚で歩いたり、三輪車に乗ったりすることなんて誰でもできるのに、観衆はわたしの芸を黙って観守り、拍手までしてくれた。あれはどうしてだったんだろう。

次に本屋へ行くと白いセーターの男が咳《せき》をしながら出てきて、「あの教科書は役に立ちましたか」と訊いてくれた。「文法は分かりませんでした。でも物語を読んだらとても面白かったです。ヨゼフィーネというねずみの歌い手の物語です」と答えた。すると男は笑いながら「物語が読めたなら、文法はやらなくてもいいでしょう」と言った。それから別の本を出してきて「これは同じ作者の書いた作品です。彼は動物の視点からいろいろな短編小説を書いたんです」と言ってから、わたしと目が遭うとあわてて「もちろんマイノリティの立場から書いたから価値があるということではなくて、文学作品として優れているということです。動物が主人公であるというよりは、動物がそうでないものになったり、人間がそうでないものになったりしていく過程で消えていく記憶そのものが主人公なんです」というような難しいことをごちゃごちゃ付け加えた。わたしは話についていけなくなったことがばれないようにうつむいて、その本を受け取りながら「あなたの名前は何ですか」と訊いてみた。男は驚いて「これは失礼。フリードリッヒです」と答えたが、わたしの名前は訊いてくれなかった。

わたしは爪が伸びすぎているので、本をぺらぺらめくってみるということができない。でも爪を切ろうとすると血がたくさん出るので、切ることもできない。しかたなく、あるページをザクッと開いてみた。犬の出てくる短編の題名が目に飛び込んできた。わたしは正直言って犬のようにちょこちょこ後ろから近づいてきて足首を嚙《か》もうとしたりする卑怯《ひきょう》で臆病《おくびょう》な動物は苦手だ。でもその短編が「ある犬の探求」という題名であるとフリードリッヒが説明してくれたので、犬への偏見が和らいだ。犬にも探求心があるのだ。「これも面白いけれど、あるアカデミーへの報告という小説が特に面白いですよ」と言ってフリードリッヒは教師のように満足そうにわたしの顔を見た。

その本を買って帰って、早速「あるアカデミーへの報告」を読んだ。とても興味深い話であることは認めるけれど、興味深いと言ってもいろいろある。読みながらむしょうに腹が立ってきて、夢中になってやめられなくなった。そういう興味の深さだった。猿は主に暑い国の住人だからわたしには理解しにくいのかもしれないけれど、自分がいかにして人間になったかについて書くという発想が「猿的」で嫌だった。猿のように人間の猿真似をして媚《こ》びている者を想像しただけで背中で蚤《のみ》と虱《しらみ》がいっしょにツイストを踊っているようにむずむずしてくる。本人は成功物語のつもりで書いている。二本脚で立つことなんか全然進歩じゃない。

そこまで考えて、わたしは急に、自分も二本脚で歩くことを子供の時に学んだことを思い出して悲しくなった。学んだだけではない。その話を書いて発表してしまった。「涙の喝采《かっさい》」を読んだ人は、それが猿的な進化論の本だと誤解したかもしれない。もっと早くこの猿の話を読んでいれば、書き方を変えたのに。

翌日、久しぶりでヴォルフガングが訪ねてきたので猿の話をすると、「読書している暇があったら執筆した方がいいと思うよ」と言って顔をゆがめた。「作家にとって読書は時間の無駄だ。他人の書いた本を読んでいる間は、自分の本を書かなかったことになるからね。」「でも読書はドイツ語の勉強にはなるでしょう。わたしがドイツ語で書けば、翻訳しないでいいから、あなたは時間の節約になるでしょう。」「いや、君は母語で書かなければだめだ。本心を自然に吐き出さなければだめだ。」「母語って何？」「母の言葉だ。」「わたしは母親と話をしたことはないの。」「話したことはなくても母親は母親だろう。」「彼女、ロシア語は話せなかったと思う。」「君の母親はイワンだろう。忘れたのかい？　女性が母親になる時代は終わったんだ。」

頭が混乱してきた。ヴォルフガングは嘘《うそ》のにおいを発散させずにしゃべっていたから、本心を口にしたに違いない。でもわたしはますますヴォルフガングが信用できなくなっていた。わたしに母語で書かせるように上から言われているのかもしれない。彼らはもしかしたら翻訳する過程で自分のいいように変えてしまうつもりなのかもしれない。蜂《はち》は花の蜜《みつ》を蜂蜜に変えることができる。花の蜜も甘いけれど、蜂蜜のあのしつこいきつい味は蜂が自分の身体《からだ》から何か液体を出して混ぜて、発酵させることによって生まれる。いつだったか「養蜂《ようほう》業の未来」という会議の資料にそんなことが書いてあった。ヴォルフガングたちが自分の体液を混ぜてわたしの自伝から別のものを作ろうとしているのかもしれないと思うと不気味だった。ドイツ語で書いて、題名も自分で付けて発表すれば、自伝をゆがめられる危険は減るのではないか。

ヴォルフガングが、「執筆の邪魔をしたくないから帰る」と言ってアパートを出たので、窓から後ろ姿を見送った。バスが来てその背中がバスに吸い込まれていくのを見届けてから、家を出て本屋に行った。店にはめずらしく客が一人いて、その髪の毛があまりにも黒いのが変に気になった。フリードリッヒはわたしを見ると睫《まつげ》を持ち上げて眼を大きく広げ、口を笑う形に開いた。「お元気ですか。寒いですね。」こんな暑い日に「寒い」と言われると寂しくなる。わたしは天気の話が嫌いだった。天気の話をするとまわりの人たちと絶対に理解し合えないという気がしてしまうのだ。「あるアカデミーへの報告、面白かったけれど、猿の考え方にはついて行けません。人間の猿真似をするなんて。」「でも、猿は自分でそうしたくてしたのでしょうか。」「そう言えば、そうするしかなかった、と何度も繰り返し書いていました。逃げようがなかったと。」「作者は、そのことを書いているのではないですか。わたしたち人間も自分の意志で今のようになったのではなくて、生き延びるために選択の余地のない変化を遂げ続けた結果、今のような姿になってしまったのではないでしょうか。」その時、これまで背中をまるめて本屋の隅で立ち読みしていた黒髪の男が顔を上げて眼鏡の位置をなおし、「最近流行のダーウィン主義ですね。女たちが化粧して嘘をつくのも、嫉《しっ》妬《と》深いのも、男たちが戦争するのも、すべて子孫を残すため。だから肯定しなければいけないという考え方ですね。ホモサピエンスが子孫を残すことがそれほど大切だとは思えないんだが、どうだね、フリードリッヒ」と言った。フリードリッヒは急に声をひっくり返して「兄さん!」と叫んだ。フリードリッヒと黒髪の男は抱き合い、わたしが邪魔にならないようにそっと店を出ようとするとフリードリッヒはわたしを引き留めて、「こちらは涙の喝采の作者です」と紹介した。わたしは自分の正体がばれていたことを初めて知って驚いた。

本を買うために本屋に行くのか、それとも本屋の男と話をするために本を買うのか分からなくなってきた。わたしは人間の男が好きなのかもしれない。彼らは、なよなよして、身体が小さくて、歯がもろくて可愛《かわい》らしく、しかも指がとても細くて、爪はないに等しい。まるでぬいぐるみのようで、一目見ただけで抱きしめたくなる。

ある日、フリードリッヒの知り合いで「人権問題を考える会」に入っているアンネマリーという女性が店でわたしを待ち構えていて、「社会主義圏の芸術家とスポーツ選手の人権について記事を書きたいのでインタビューしたい」と申し出た。「人権については考えたことがない」と答えると、あきれた顔をされてしまった。

実際わたしは、自分に「人権」と縁があるなんて、それまで思ってもみなかった。「人権」などというものはそもそも人間のことしか考えていない人間が考え出した言葉だと思っていたからだ。タンポポに人権はない。ミミズにもない。雨にもない。兎《うさぎ》にもない。ところが鯨となると、人権のようなものを持っている。「捕鯨と資本主義」という資料を昔、会議の準備で読んでいてそんな印象を持った。どうやら人権とは、図体《ずうたい》が大きい者の持つ権利らしい。だから、みんなわたしに人権を持たせようとするのかも知れない。何しろわたしたち一族は、肉を食べ、陸に生きる者の中では、一番からだが大きい。

アンネマリーが帰ってしまった後、わたしが放心して自伝の並んだ本棚の間に立っていると、フリードリッヒがまじめな顔をしてこちらをじっと見ていた。その視線に耐えられなくなって「何か新しい本はない？」と訊くと、「アッタ・トロル」という本を出してきてくれた。「これを読むといいよ。熊の話だ。」表紙に記された作者名はハインリッヒ・ハイネ、開けると偶然、挿絵のあるページで、黒い熊が寝そべってい る。その絵がすっかり気に入ってしまって、もう手から離すことができなくなった。 レジに本を持って行こうとしてフリードリッヒはわたしの手に触れ、「手が冷たいね。 寒いの」と訊いた。わたしは苦笑した。

翌日本屋に押しかけていって、「随分消化に悪い本を売ってくれましたね」と文句を言うと、フリードリッヒはじっとわたしの眼を見て、「それには理由があるんです。作者はわざとひねって書いたのかもしれませんよ。敵に襲われないようにね。」「敵ってたとえば狼《おおかみ》か何か？」「たとえば検閲。」「検閲って何？」「気に入らないことが書いてあると本を出してはいけないって権力者が言うこと。ソ連にはなかったの？」わたしは思い出そうとしたけれど、頭が混乱して答えが出なかった。「それだけの理由で簡単なことをわざと難しく書くの？」「簡単に書こうとしてもそれが他の人には複雑に思える場合もあるでしょう。でも、」とそこまで言うとページをめくった。「ほら、ここを読んでみて。買って良かったと思うでしょう。」

人権などという「不自然」なものを「自然」が人間に与えたはずがない、と書いてあった。「もしもすべての人間に人権があるなら、すべての動物に動物権がある。そうすると、僕が昨日食べたステーキはどうなるのか。そこまで考える勇気が僕にはない。兄はそれで菜食主義者になった」と言ってフリードリッヒはわたしの顔をじっと見たので、わたしは「菜食主義者にはなれません」と答えた。でもわたしの遠い親戚《しんせき》には肉を食べないのが多いことは知っている。野菜や果物が主で、たまに蟹《かに》や魚を食べる程度だ。だいぶ前のことだが、「どうしてあなたは他の動物を殺すのか」と訊かれた時にはどう答えていいのか分からなかった。あれは「資本主義と肉食」についてのシンポジウムだった。

わたしは暴力的な自分が恥ずかしい。まだとても小さかった頃、先生が「輪になって踊りましょう」と言っても輪に入れなかった。初めのうちは、そんなわたしの手を取って先生が輪に引き入れてくれたが、そのうち隅の方に立って見ているだけになってしまった。わたしだけ別行動なので、ある時それを不思議に思う子がいて「どうして」と訊くと、先生は「あの子は自分勝手だから」と答えた。反射的に手が出ていた。突き飛ばされた先生は尻餅《しりもち》をつき、わたしは自分で自分が怖くなって三階の窓から飛び出して逃げた。それ以来、「あの子は問題児で集団生活には向かないけれど運動神経がいい」と評判になり、特殊な学校に一人送られた。運動能力は、社会主義国では一種の資本だった。エリートの学校に送られると聞いていたのに、着いてみたら暗いところで檻《おり》に入れられた。その時の重く湿った気持ちがよみがえってきた。そこにイワンが現れた。そうだ、幼稚園の記憶はイワンと会う前の記憶だったらしい。

そこまで書くと、まるでドアの外でずっと待っていたかのようにノックの音がして、あけるとヴォルフガングが知らない男と並んで立っていた。「作家をシベリアでのオレンジ栽培に参加させない会」の新しいリーダーだそうだ。わたしがドイツ語の会話くらいはできるようになっていることをヴォルフガングから聞いていたのだろう。作り笑いをしながら、「ご機嫌、いかがですか」と試すようなドイツ語で話しかけてきた。男はイェーガー氏という名前だった。卑《いや》しくてずるくて素早い感じのする名前だ。白髪に囲まれた顔立ちは上品で、まるで将校みたいだった。昔サーカスの観客席の一列目に時々彼とよく似た顔の男たちがすわっていた。

「自伝の進み具合はどうです？」と訊かれた途端、将校に自分の書いたものを奪われてたまるかという反発心がわき起こってきて、何も書いていないふりをすることに決めた。「なかなか進みません。言語の問題があるので。」「言語の問題？」「ドイツ語が難しくて。」イェーガー氏は非難の眼でヴォルフガングを睨《にら》んでから、怒りをおさえた声で、「ご自分の言葉で書くようにお伝えしたと思いますが。優秀な翻訳家がいますから」と言って微笑《ほほえ》んだ。「わたし自身の言葉ですか。わたしは自分の言葉が何なのかもう忘れてしまいました。一種の北極語だとは思いますが。」「ご冗談を。ロシア語は世界一の文学言語です。」「なぜか書けないんです、ロシア語が。」「そんなことはないでしょう。ご自分の言葉で、自由に書いてください。執筆中は、生活費などの心配はしなくて平気です。」目の前に満面の微笑がひろがっているが、脇《わき》の下から嘘がぷんぷんにおってくる。微笑みは人間が顔にのせる表情のうちで最も信用できないものの一つだということが分かってきた。人は自分の寛大さを売りつけ、相手を安心させて操作するために微笑む。ヴォルフガングに助けを求めようと思ったが、ヴォルフガングはわたしたちに背を向けて窓の外を見ている。「自伝が出版されれば印税で暮らせるでしょう。ベストセラーまちがいなしですよ。」

この訪問のせいで、また筆が萎《な》えてしまった。「筆が萎える」などという言い方は、雄的でわたしには似合わないかもしれない。雌的に言いかえると、生まれるものは小さければ小さいほどいい。生き残れるチャンスが大きいからだ。それもすべてが死に絶えたように見える冬のまっただ中に生まれるのがいい。生まれたことは人に告げてはいけない。親熊は穴の中で子を生んで、暗闇《くらやみ》の中でその子をなめて乳をやり、ある程度大きくなるまで人に見せない。嗅覚《きゅうかく》と触覚だけで育てる。ある程度育ったら、その子を連れて冬眠の穴から出る。そんな時、飢えた父親が偶然通りがかって、我が子と知らずに食べてしまうことがある。これは古代ギリシャ人が書き残した有名な話である。父親熊は父親ペンギンの爪《つめ》の垢《あか》でも煎《せん》じて飲んだ方が良いと言われても仕方がない。なにしろペンギンの場合は、雄と雌が交代で卵を暖め、雄はどんなにお腹が空いても何週間でも吹雪の中で卵を守りながら、雌の帰りを待っているそうだ。

「ペンギンの夫婦はどれも似かよっているが、ホッキョクグマの夫婦は多様である。」

イェーガー氏がまた偵察に来た時のためにそんな文章をロシア語で書いて机の上にわざと置いておいた。案の定、イェーガー氏は数日後にまたヴォルフガングと一緒にやってきて机の上に置かれた文章をじっと睨んでいた。ヴォルフガングが「名作になりますね」と言うと、イェーガー氏がわたしの手をとって、「どんどん書いてください。筆は速ければ速いほどいい。推敲《すいこう》ならいくらでもできますからね。書かないで考えてばかりいるのが一番いけないですよ」と励ました。「亡命する前には書きたいことが蛆《うじ》のようにわき上がってきたんですけれど、ここに来てから、どうも昔の自分とつながらなくて記憶がぷっちり途絶えてしまって、先が続かないんです。」「まだ環境に慣れていないのかもしれませんね。」「暑くてやりきれないんです。」「え、今、真冬ですよ。手が冷たいじゃないですか。」「手足は冷えたままでも平気な体質なんです。

手足の先までいちいち体温を保っていたらエネルギーの無駄ですからね。心臓さえ熱ければいいんです。」「風邪を引いているんじゃないですか。」「風邪を引いたことはありません。疲れているんだと思います。」「疲れた時はテレビを見るといいですよ。」そう言い残してイェーガー氏はヴォルフガングとがっくり落ちた肩を並べて帰って行った。

二人が帰ると、わたしはテレビをつけてみた。パンダのような顔をした女性が地図を背景に一人高い声で何か喋《しゃべ》っていた。どうやら気温があした三度くらい下がると言っているらしい。どうして三度くらいの温度差でそんなに騒ぐのか分からない。つまらないので別のチャンネルに移ると、本物のパンダが二頭映っていた。檻の横に立った政治家二人が握手している。パンダが政治に口出しするのは熊として正しい態度なのか。そんな偉そうなことを考えるわたし自身、人権を守らない我が国を批判する証拠品として、見えない檻に閉じ込められ、働かされているのではないのか。

つまらないのでテレビを消すと、画面に肥《ふと》った女が映っていた。よく見ると、それがわたしだった。驚いた。わたしはなぜこんなに肥っているのだろう。鼻面《はなづら》が突き出ているので、顔だけ見るとでっぷりした印象はないが、身体は肥っている。しかも、なで肩で、額がせまい。さっきまで画面に映っていたパンダとちがって、顔がとがっているから、少しも可愛くない。そんな想《おも》いをうじうじ、いじりまわしているうちに、幼い頃、同じような気持ちになった時のことを急に思い出した。眼の中で線香花火に火がついた。そうだ、そうだ、そうだ。あの時、慰めてくれた人がいた。あれはいつのこと。

わたしだけが白くて不細工で、まわりの女の子たちは、痩《や》せて、鼻が短くて、額が広くて、色がすてきな茶色で、自信ありげに肩をいからせて歩いていた。「みんなきれいでいいなあ。あたしもあんなになりたいなあ」と甘えてみると、そこにいたあの人が、「あの子たちはヒグマだ。みんながヒグマというわけじゃない。君は君らしくしていればいい」と言ってくれた。「それにあなたはみんなより気性が荒いだけ芸をすれば見栄《みば》えがする。」そんなことを教えてくれたのは誰。幼稚園の庭で箒《ほうき》を持って立っていた人。名前は？　あの人はいつもそこにいて、働いている人たちの一人。公《おおやけ》に名前を呼ばれることは滅多になく、外では無名で働き、家に帰って家族にだけ名前を呼ばれる何百万人という労働者の一人。ありがとう、わたし自身のことを教えてくれてありがとう。

わたしは相撲が強くて、他の子を簡単に投げ飛ばすことができた。でもある日、わたしに投げ飛ばされた子が、悔し紛れに何か言った。なんと言ったのかは思い出せないけれど、それを聞いたとたんに、みんな素敵なスカーフを首に巻いているのにわたしだけ巻いてないことに気が付いた。自分だけ仲間に入れないということ。家がないということ。芸をしなければならないということ。でもその代わり、自分だけは自由であるということ、そして拍手喝采《かっさい》を受けて気の遠くなるほどの幸福を味わう特権を与えられているということ。

ヴォルフガングが一人で訪ねてきたので今書いた部分を見せたくなって、やめておけばいいのにやっぱり見せてしまった。書きたてでまだ湯気の立っている原稿を受け取ってヴォルフガングは緊張して上着も脱がないで立ったまま目を通し、読み終わるとどっと疲れたように椅子《いす》に腰を下ろした。「よかったよ、君の創作意欲が回復して。君を励ますという重い任務を背負った僕は窮地に追い込まれて毎日爪を噛《か》んで暮らしていた。」「こんな風に書けばいいの？」「そうだよ。とにかく書けばいいんだよ。スカーフの話も面白いと思うよ。スカーフを巻いていた子たちは、ピオネールに入っていたということだろう。僕も、クラスメートがみんなボーイスカウトに入ってスカーフを首に巻いていたのに、自分だけ入れなくてスカーフがうらやましかった。」「どうして入れなかったの？」「母親が許してくれなかった。あれはイデオロギーだって言うんだ。」「どんなイデオロギー？」「祖国のために身体《からだ》をはって戦うとか、そういう気持ちを少年に植え付けるのは許せないって言うんだ。」「お母さんはそういうのが嫌いだったの？」「嫌いだったよ。君のお母さんはどんなことを考えていたの？」「今日は天気がいいから、どこかに遊びに行きたい。」「どこへ行こうか。」「デパートというところへ行ってみたい。」

デパートはスーパーを寂しくしたような場所で、商品も人も少なめだった。鮭《さけ》をグリルする機械や、花模様のシーツや、大きな鏡や、アザラシの皮そっくりの鞄《かばん》などを静かに売っていたが買っている人はあまりいなかった。音楽が大きな音でかかっている売り場があり、古い蓄音機と黒い斑《まだら》のある白犬の人形が飾ってあった。それだけならいい。レコード一枚一枚に、その犬の絵が描いてあった。「ダルメシアンだ」とヴォルフガングが言った。「犬は種類によって見かけが全然違う。それでも犬は犬なんだ。不思議だと思わないか？」ヴォルフガングはすごい発見をしたような自慢げな顔でわたしを見た。その話なら「ある犬の探求」にも書いてあった、と言おうとして、やめておいた。読書したことがばれてヴォルフガングに叱《しか》られるのが嫌だったのだ。デパートは何も買わなくても中に入ると自然に視線を奪われ、そこから体力を吸い取られるようにできていた。何も買いたい物が見つからなかったのに疲れてしまって、損をしたような気分になった。隣に遊園地が見えたので、まるで復讐《ふくしゅう》するみたいに、どうしても寄って行きたいとダダを捏《こ》ねて、嫌がるヴォルフガングを引っ張っていった。

ベンチにすわった途端「テレビを見た？」とヴォルフガングが訊《き》くので「パンダが出ていてつまらなかった」と答えた。「どうして？」「パンダは化粧が面白いから、それだけで芸もしないで、自伝も書かないでも有名でしょう。」ヴォルフガングがめずらしく大声で笑った。

眼の前をがりがりに痩せた女が一人、男を連れて歩いていた。ヴォルフガングがものすごく小さなカップに入ったアイスクリームを買って来てくれた。わたしは一口で食べ終わって、つい本音をこぼしてしまった。「カナダに亡命したい。」「え、今なんて言ったの？」「亡命したい。カナダに。」ヴォルフガングは舌ですくいかけたアイスを地面に落とした。「そんな寒いところにどうして。」「あなたにとって気持ちのいい気温が他の人にとっても気持ちがいいとは限らないでしょう。」ヴォルフガングの眼が涙にうるんだ。犬のような顔だなと思った。犬は仲間がいなくなると、狂ったように咆《ほ》えて捜す。気持ちが優しいからではない。群れがばらばらになると生き残れないから、必死でまとまって生きようとするのだそうだ。わたしはどちらかというと一人で生きようとする。エゴイストだからではなく、その方が餌《えさ》が得やすくて合理的だからだ。

ヴォルフガングと言葉少なに別れ、家に帰って、子供の時にわたしの見た蓄音機のことを思い出そうとした。浮かび上がってきたのはデパートで見た蓄音機で、しかもその隣にあの犬がちゃっかり座っている。どうやらわたしの記憶はデパートの中でブランドにすり替えられてしまったようだ。

自伝を書くということは、思い出せないことを推測で作り上げるということかもしれない。わたしはイワンのことはすでに自伝にくわしく書いたつもりになっていた。でも正直言うと、イワンの顔なんて全く思い出せない。思い出せないというより、あまりにもはっきりと思い出せてしまうので、嘘《うそ》だと分かる。

あの日、会議の最中にわたしが何かを思い出したことは事実だと思う。その記憶は、腕の動きの中に蓄積されていた。でも、イワンの顔を描こうとすると、絵本「イワンの馬鹿」の挿絵のイワンになってしまって、わたしのイワンはどこにもいない。

書くことへの疑いがめざめてしまった。書けない時はつい他人の書いた本を手に取ってしまう。読書はいけないことだということは分かっているけれど、一度読んだ本を読み返すなら罪が浅いだろうと思って、「ある犬の探求」を読み返した。この犬は、それらしい幼年時代や少年時代をつくりあげるのではなく、今考えていること、疑いや不満を思いつくままに書き綴《つづ》っている。わたしだって、じぶんの考えていることを書いていってもいいのかもしれない。本当らしい物語、わたしらしい物語を作っていく義務なんかない。「ある犬の探求」の作者は自由自在に猿になったり、ねずみの世界に潜り込んだりして、自伝なんか書いてない。実際この作家は、人間の姿をして、毎朝勤めに出て、夜原稿を書いていたそうではないか。プラハには昔会議で一日行ったことがあるが、カフカという名前はこれまで聞いたことがなかった。プラハには春が来た。でもそのずっとずっと前に生まれた作者は、ソ連が成立するよりももっと前から、まわりの人間たちが自由ではないことを見抜いていた。

暑い日が続いていた。頭の中が熱しすぎて考えがまとまらない。雪と氷の国に亡命すれば頭が冷えて気持ちもすっきりするに違いない。カナダに亡命したい。でも亡命とは東から西に向かってするものであり、西からもっと西へ亡命するにはどうしたらいいのかわからない。そんなある日、解決策が向こうから転がり込んできた。

散歩していてふと、雪と氷に覆《おお》われた風景を写したポスターが眼に入り、映画館というところへ初めて入ってみた。それはカナダ映画で、北極に住む者たちの生活を紹介していた。雪兎《ゆきうさぎ》、銀狐《ぎんぎつね》、北極狼、シロナガスクジラ、アザラシ、ラッコ、シャチ、そしてホッキョクグマ。そうやって映像にされて解説を付けられると他人事《ひとごと》のように思えるが、わたしの祖先もああやって狩をして生活していたに違いない。

映画館からの帰り道、駅の裏の路地でちょうど青年数人が壁に落書きしているところにでくわした。面白いので黙って見ていた。立って見ているわたしに気が付くと、五人のうち一番背の低い青年が、「向こうへ行け」と吐き出すように言った。わたしはそういう風に仲間はずれにされるのが嫌いなのでむっとしてそのまま動かないでいると、他の四人も次々わたしの方を見た。中の一人が「どこから来た」と聞くので、「モスクワ」と答えると一斉に殴りかかってきた。モスクワという地名は、「襲いかかれ」という単語と発音が似ているのかもしれなかった。わたしは面倒くさいなと思いながらも、襲ってくる痩せた坊主《ぼうず》刈りの青年たちに次々軽い平手打ちを与えていった。なぎ倒されて尻餅《しりもち》をついて驚いた顔をしている子。一度投げ飛ばされても歯を食いしばってまた襲いかかってくる子。仲間のだらしない姿を見てナイフを取り出して直進してくる子。ひょっと身体を脇《わき》に寄せると、前につんのめった。その背中を軽く押すと、そのまま吹っ飛んでいって車にぶつかって倒れた。かわいそうに唇を切って血を流し、それでも諦《あきら》めないで、逆上して襲いかかってきた。わたしは身をかわして、その子の背中を軽く押した。その子はナイフを手放して地面に倒れ、あわてて起き上がって逃げていった。他の子たちの姿はもう見えなかった。

人間は痩せているくせに動きが鈍く、大事な時に何度もまばたきをするので敵が見えない。どうでもいい時はせかせかしているくせに、大事な戦いの時には動きが遅い。戦いには向いていないのだから兎や鹿のように賢く逃げることを考えればいいのに、なぜか戦い好きなのがいる。人間ほど愚かな動物を何のために誰が作ったのか。人間が神様の似姿だなどと言う人がいるが、それは神様に対して大変失礼である。神様はどちらかというと人間よりも熊に似ていたということを今でも覚えている民族が北方には点在しているそうだ。

ふと見ると、皮のジャンパーが落ちている。よさそうなジャンパーなので、ヴォルフガングにあげようと思って拾って帰った。

翌日、ヴォルフガングが来たので、「ジャンパーを拾ったのだけれどわたしにはきついからあげようか」と訊いてみた。どうでもよさそうにジャンパーに視線を落としたヴォルフガングの顔から、さっと血の気が引いた。「このジャンパー、どうしたんだ。ハーケンクロイツがついているじゃないか。」そう言われてみると一種の十字架《クロイツ》が縫いつけてあった。まさか赤十字か何か、立派な機関の人たちをまちがって殴ってしまったのではと思って動転し、「でも襲いかかってきたから自己防衛しただけなんだけれど」と言い訳した。ヴォルフガングは怒ったような顔をしていた。わたしはいよいよ誤解されたかと思って説明を加えた。「青年たちは軽い怪我《けが》をしたかもしれないけど、たいしたことないはず。もし必要なら謝りに行くけれど。でもモスクワと聞いた途端に、襲いかかってきたんだから、何かの誤解でしょう。若者の間ではモスクワというのは何かの暗号なの？」

ヴォルフガングは溜息《ためいき》をついて、椅子に腰をおろした。「右翼団体が外国人を襲う話は聞いたことがあるだろう。でもナチスに一番よく襲われるのは黒人でもトルコ人でもない。ロシア帰りのドイツ人だよ。彼らは祖先はドイツ人だけれど、ロシア文化の中で育っている。自分と似ているけれど違う者がいるというのが、右翼にとっては一番怖いことなんだ。」「でも、わたし、彼らに似てるかなあ。」「全然似ていない。似てないけれど、モスクワと言われると、いろんな感情にかっと火が付くのさ。」

ヴォルフガングは早速団体のリーダーに電話して、警察に通報した。そのことが翌日、新聞に載った。亡命作家がネオナチに襲われたというニュースだった。わたしはかすり傷ひとつ負わなかったので、新聞も「重傷を負った」と書くわけにはいかなかったが、襲われたことは事実であり、ヴォルフガングたちは、カナダ大使館に亡命を申し入れる手紙を書いた。「ドイツにいたのではネオナチの危険が大きすぎる」という理由をつけた。実際のところは、わたしがスモークサーモンばかり食べて原稿を書かないので、もう面倒を見るのが嫌になったのだろう。「あとは大使館からの返事を待つだけだ」と言うヴォルフガングの声にはトゲがあった。

カナダへ行きたいと言う気持ちは揺るがなかったけれども、何日かたつと、それまで思いも寄らなかった不安が一つ胸の中に生まれていた。初めはまだ小さかったその不安は「今せっかくドイツ語で書くつもりになったのに、今度は英語を勉強しないとならないのか」という程度で、それが身に迫ってきて、「いろんな言葉がごちゃごちゃになって頭が混乱しそうだ」となって、ますますひどくなり、「過去のことは多少自伝に書いておいたから安心だけれど、これからどんなことが起こるか分からない」という不安にまで深まり、最後には「これからどんなことが起こっても言葉ができないからそれを記述することができない」という結論に達すると眠れなくなってしまった。自分が消えていく。死ぬというのは、何もかもなくなってしまうことなのだ。死なんて怖いと思ったこともないのに、自伝を書き始めたせいか、まだ書かれていない部分が書かれないまま消えてしまうということが恐ろしかった。

眠れないなどと言う状態を祖先は知らなかったに違いない。食べ過ぎと眠れなさは、どう考えても退化である。眠れないときに飲めるように机の裏に隠してあったウォッカを取り出す。モスクワにいた頃は手に入れるのが大変だった「モスコフスカヤ」も西ベルリンに来てからは駅のキオスクで簡単に買える。ぐっとラッパ飲みにする。すると、瓶が鼻にくっついて取れなくなった。もぎ取ろうとすると痛い。どうしよう。イッカクになってしまった。ホッキョクグマが近づいてくるのが見えたので、あわてて水に飛び込んだ。ホッキョクグマは悔しそうな顔をしている。よく見るとそれはわたしの叔父である。どうして叔父がわたしを食べようとするのだろう。おじさん、と語りかけると、歯を剥《む》いて唸《うな》った。そうだ、言葉が通じないんだ。無理もない。でもわたしはもう叔父の言葉は話せない。仕方がない。水の中にいれば泳ぎの得意なわたしに危険はないと思って安心していると、隣にもう一匹、鼻にウォッカの瓶をつけたイッカクが現れて、ささやいた。「酔っぱらっている場合じゃないぞ。気をつけろ。シャチが来る。」「まさか。シャチはこんなところへは来ないよ」と、もう一匹その後ろから現れたイッカクが言いかえした。「それが最近は来るんだよ。お里が食糧危機だとかで。」「よし、逃げよう。」わたしたち三匹は氷水の表面に出たり、潜ったりして、北の方向に逃げていった。仲間と並んで泳ぐのは愉快だった。流氷はどれも小さくて頭に当たっても痛くなかった。ところが一つだけ大きな氷山があったようで、氷山の一角だけを見て油断したわたしは角をまともにぶつけてしまった。角はぼきっと音を立てて額から折れた。角は要らない物だからどうでもいいと思ったのは一瞬のこと、角がなくなっただけで、ぐるぐる回転しながら海中に沈んでいった。ああ息が苦しくなってきた。まわりで数頭のアザラシの赤ちゃんが必死で手を動かしている。どうやら彼らも溺《おぼ》れているところらしい。食べたいけれど、こちらも溺れている最中なので、食べるどころではない。

うなされて眼が醒《さ》めた。カナダへ渡ること自体が不安だった。机に向かってぼんやり窓の外を見ていると、自転車に乗った少年が現れた。ダックスフントを思わせる変わった形の自転車だった。少年はぐっと腕を引いて、前輪を宙に浮かせ、そのまま円を描いて走った。それから前輪を下ろして、今度は身をひねってサドルに後ろ向きにすわって走った。曲乗りの練習をしている。失敗して倒れても、膝《ひざ》をすりむいても、少年は練習をやめなかった。そのうち、後ろ乗りができるようになり、今度はハンドルの上での逆立ちに挑戦し始めた。自由自在という言葉が浮かんで、そうだ、わたしも自由自在に自分の運命を動かしたい、そのために自伝を書こう、と思った。わたしの自転車は言語だ。過去のことを書くのではない、未来のことを書くのだ。わたしの人生はあらかじめ書いた自伝通りになるだろう。

トロントの飛行場で降りると、冷たい風が暖かく迎え入れてくれた。次に誰かが迎えに来てくれる場面を書いてもいいけれど、それでは西ベルリンに着いた時の繰り返しになってしまう。他に何かうまい伝記の書き方はないのか。カナダに亡命した人たちはどんな伝記を書いたのか。こんな時に助けてくれるのは本屋だけだ。期待通りフリードリッヒは「亡命文学はあの棚だよ」と言って、わたしを哲学書の棚の隣に連れて行ってくれた。どれにしようか迷っていると、三冊選んでくれたので、全部買って帰ることにした。

初めに開いた本には「カナダでは移民は大切に扱われる。市役所で歓迎会があって、市長と握手し、花束をもらった」と書いてあった。わたしはその文章を書き写した。それから英語を習うため語学学校に通う場面が続き、読んでいるうちに憂鬱《ゆううつ》になってきた。せっかくドイツ語が分かるようになったのに、また新しい言葉を勉強する気になれない。何より嫌なのは、語学学校の写真が載っていて、それを見ると生徒の座っている椅子《いす》がすごく華奢《きゃしゃ》で小さいことだった。せっかく新しい国に着いても、お尻に窮屈な思いをさせて文法をつめこむなんて。しかも「語学学校は暖房がよく効いていてとても暖かかった」と書いてあったので、ぞっとした。その本が嫌になって次の本を開くと、こちらは新大陸の南の方から、船でこっそりカナダに着いた話で、「深夜、人影のない港に着いた。海水に濡《ぬ》れた服が冷たかったので脱いで、そこに放置してあった網を身体に巻いた。魚を捕るための網で、海草のにおいがぷんとした」と書いてあった。冷たい服と海草のにおいが気に入ったので早速その部分をそっくりそのまま書き写した。しかしこの主人公も夜が明けるとやっぱり役所と語学学校に行くことになっている。わたしはその本も閉じて、三冊目の真ん中辺を開けた。すると、「なれそめ」とか「いとしさ」とか「接吻《せっぷん》」などの単語が目に入ったので、つい引き込まれて読んでしまった。

わたしが職業訓練所に通っていた時のことです。初めのうちは英語を理解しようと必死でそれ以外のことは考えていませんでしたが、そのうち、同じクラスで自分だけ色が白いことに劣等感を感じ始めました。別にいじめられたわけではありません。でも鏡を見ると自分がなまじろくて不健康で陰気な顔をしているように思えて、うんざりしたのです。授業が終わると日に焼けようと思って近くの湖の畔《ほとり》に寝ていましたがわたしはどうやら日には焼けない体質らしく、なかなか黒くなりません。同じクラスにクリスチアンというとても親切な青年がいて、ある日「どうしたの？　元気がないね」と声をかけてくれました。「今度の日曜日いっしょに湖に泳ぎに行こう」と誘うと快く受け入れてくれました。

湖の畔で裸になって夕日を浴びて横たわりました。よく見ると彼もどちらかというとわたしと同じような色をしています。そこでわたしの悩みを話すと、「みにくいアヒルの子」という童話を話してくれました。彼はその童話を書いた作者と同じオデンセという町の出身で、そのことを自慢に思っているそうです。わたしは急に気持ちが明るくなってきて、目と目が合うと彼の頭に手をのせていました。すると彼が鼻先でわたしの胸を突きました。そうして戯《たわむ》れているうちに日が暮れてきました。暗くなってもわたしたちは湖畔に横たわったままでした。

わたしとクリスチアンは結婚しました。「教会で式を挙げるのは嫌だ、宗教は麻薬だ」と彼が言うので、式は挙げず、家でパーティを開きました。わたしはすぐに妊娠し、二卵性双生児の男の子と女の子を産みました。男の子は名前を付ける前に死んでしまいました。女の子にはトスカという名前を付けました。

書き写しているうちにすっかりその気になってきた。そうだ、これをわたし自身の物語にしよう。途中までは他人の書いたものを書き写していたが、いつの間にか自分の脳に自然と流れ込んでくる「お告げ」を文字にしていた。それはとても疲れる作業だった。

わたしたちは職業訓練所を卒業し、夫は時計工に、わたしは看護婦になりました。夫はやがて組合に入り、帰りが遅くなり、休日も家にはいなくて、トスカの面倒はわたしが一人でみました。トスカは朗らかな子で、外に出ると歌を歌いながら踊りだし、人が集まってきて拍手するといつまでも踊っていて、家に帰りたがらないので困ったものです。ある日、夫が「ソ連に亡命しよう」と言い出しました。わたしは強い不安感を覚えました。あんなに苦労して逃げてきた国です。もしそのことが分かってしまったら、わたしの身は危ないのではないかと思ったのです。そのことを話すと夫も黙ってしまいました。それで亡命の話は終わりになったと思ってほっとしました。実はわたしは毎日食べるホットケーキと同じくらいカナダが好きだったのです。ところが亡命の話はそれで終わりではありませんでした。しばらくして夫が「東ドイツに亡命しよう」と言い出しました。「東ドイツなら君の両親の前科はばれないと思うよ。カナダ人として亡命して、理想国家の建設に協力するんだ。僕もカナダは好きだが、はっきり言って西側諸国に未来はない。僕の母がデンマークで極左の活動に参加して職を追われ、僕を連れてカナダに亡命したことは話したね。母はカナダに来てすぐに死んでしまった。どうしてか分かるか。新しい恋人ができて、その恋人に殺されたんだ。この国に未来はない。この国で労働者をやっていたのではトスカを大学にやることさえできない。アイススケートでもバレエでもトスカに最高の教育を無料で受けさせることができるよ。」そう言われてわたしも東ドイツに行く決心が固まりました。

ここまで書いてわたしはほっとしてベッドに倒れ込んだ。枕《まくら》に耳をうずめて、背中をまるめて、まだ生まれていないトスカを胸に抱きしめて穏やかな眠りにおちていった。娘のトスカはバレリーナになって舞台に立ち、チャイコフスキーの「白鳥の湖」、または自分でアレンジした「白熊の湖」を踊り、やがて可愛《かわい》らしい息子を生む。わたしにとっては初孫だ。その子はクヌートと名付けよう。

氷の原がどこまでも広がっている。そう思って踏み出すと、どれも座布団《ざぶとん》のように薄くて小さい氷の板で、足をのせた途端に沈んでしまう。ずぶっと肩まで凍る寸前の水にはまって少し泳ぐ。泳ぎは得意だし、身体が冷えて気持ちいいけれど、わたしは魚ではないからいつまでも泳いでいることはできない。陸に上がろうとして手をかける。ところが陸かと思ったその氷も、ただの氷の板で、わたしの体重を支えきれないで傾いて沈んでしまう。次の氷も小さすぎた。何度も失敗してやっと見つけた大きめの氷の上に腰を下ろしたが、それも書き物机くらいの大きさしかないし、体温で少しずつ溶けて薄くなって沈んでいく。わたしに残された時間は一体どれくらいなんだろう。

死の接吻

背筋をすっと伸ばし、胸をぴんと張って、顎《あご》をぎゅっと引いて立っている。目の前にそびえる氷壁を恐れる気持ちは少しもない。これは戦いではない。氷壁は実は暖かい雪の毛皮でできている。顔を上げると黒真珠の瞳《ひとみ》と黒く湿った鼻先がある。わたしは角砂糖を一つすばやく舌にのせて唇をさし出す。ホッキョクグマはゆっくりと腰を曲げ、首を曲げて、前に倒れないようにバランスをとりながら、わたしの上に身をかがめる。相手の激しい息遣いの中から雪の香りがたちのぼる。ほとんど口を開けなくても、相手の器用な舌はいとも容易《たやす》く角砂糖を奪い取っていく。口と口は触れたのか、触れなかったのか。

観客は息をとめ、拍手することさえ忘れてしばらくそのまま凍りついている。観客の視線はずっとトスカに釘付《くぎづ》けで、本当の危険は別のところにあることなど思いもよらないのだろう。身長が三メートルあるトスカがその大きな手でわたしに平手打ちを食らわせればわたしの人生は一瞬にして終わってしまうだろうが、危険なのはトスカではなく、背後に立つ九頭のホッキョクグマのアンサンブルが乱れることだ。誰かのいらだちから発火して、火が火を呼んで、舞台を包み、誰かが死に至るやけどを負うかもしれない。わたしは全身を触角にして見張っている。毛穴の一つ一つを目にして、背中にも無数の瞳を開いて、後頭部の髪の毛の一本一本をアンテナにして、グループ内部の力関係を見張っている。一瞬も気を許していないつもりだが、トスカと接吻《せっぷん》する一瞬だけは注意が唇に吸い取られ、みんなの動きに完全に気を配ることができない。鞭《むち》を持った左手がひきつる。

観客はわたしがその鞭に象徴される力によって猛獣の群れに君臨していると思っているが、実際のところ鞭は指揮者の指揮棒と同じで、オーケストラ奏者たちが恐れているのは細い指揮棒で頭をこつんと叩《たた》かれることではない。

わたしはそこにいる誰よりも身体《からだ》が小さく、力が弱く、動きが鈍い。もしわたしに優れている点があるとすれば、それはみんなの心の微妙な揺れをいちはやく感じ取ることができることだ。九頭どころか二頭でも力関係が崩れて一度争いが始まってしまえば、もうわたしの力ではとめることができない。だから小さな敵意が生まれて、それが一つの方向に凝縮しそうになるのを感じたら、声を出して鞭を鳴らして、注意を別の方向にそらしてやる。

九頭のホッキョクグマたちは舞台の上に作られた太鼓橋の上に並んで、九つの首を持つ神話の蛇のように、長い首を振り子にしたり、喉《のど》の奥から低い吠《ほ》え声を絞り出したりしながら、自分に角砂糖の順番がまわってくるのを待っている。

短いスカートにロングブーツ、金色の巻き毛をヘアバンドでとめた身長１５８センチのわたしがすでに四十を越えていることに気がつく人はいないだろう。サーカス団の監督を務めるパンコフも舞台でわたしが少女のように見えることを知っていたから、このようなショーを思いついたのだろう。「小さな女の子が十頭の巨大な熊を思いのままに動かしている光景は、寒気がするほど感動的でしかもエロチックだろう。ホッキョクグマはヒグマよりずっと身体が大きいし、白いから、なおさら大きく見える。みんな並べば氷山みたいだぞ。」上司パンコフの煙草《たばこ》の吸いすぎでかすれた声が今でも聞こえるようだ。「どうだ、やってみるか、だめでも挑戦してみろ。失敗してもすぐに首にしないで、馬小屋の掃除させてやるから。はっはっは。」馬小屋の掃除をしていて出世の鍵《かぎ》を手に入れたわたしの経歴を知っていてそんな嫌みを言うパンコフは、ひょっとしたらわたしを怒らせることで全力を出させようと企《たくら》んでいるのかもしれなかった。

わたしは、それまでホッキョクグマと仕事した経験はあまりなく、五〇年代半ばにいやいややらされていた猛獣グループのショーで一時ホッキョクグマが一頭編入されて、うまくいかなかった記憶があるくらいだ。わたしは動物は何でも好きだったが、猛獣グループのショーを嫌悪《けんお》していた。虎《とら》とライオンと豹《ひょう》を並ばせて得意になっている人間は、少数民族に派手な衣装を着せてパレードさせる連合国家のようなものだ。自治権は認めなくても、パレードの衣装で多様性を強調する。肉食動物たちは自然の中ではお互いうまく距離を置いて、無意味に殺し合わないで生きている。それを無理に狭い場所に集めて、動物図鑑の一ページのような光景を作りだして誇る人間というのは本当に愚かな動物で、わたしはそういう人間の代表として舞台に立つのが恥ずかしかった。

今振り返ってみると、虎と豹とライオンだけでは寂しいからホッキョクグマも入れろなどと無理を言ってきた当時の上司やその上に立つ役人たちは弱肉強食の社会で自分が食われてしまわないかといつも焦《あせ》っているようだった。言ってみれば彼ら自身が一種の猛獣グループのようなもので、1953年にスターリンが死んでからは誰が誰に食われるかが見通しにくい状況になっていた。サーカス自体も民営のような形では続けられないことが明らかになっていく時期で、明日は嵐《あらし》が来てサーカスのテントが飛ばされるかも知れないという危機感があった。

やがて、アエロス、ブッシュ、オリンピア三つのサーカスが東ドイツ国営サーカスとして合併された。国営ならば猛獣グループというような乱暴な図はもう流行《はや》らなくなるかと思っていたが、危ない猛獣を見たいという観衆の欲望は高まる一方で、平和に共存するライオンたちの姿を見せたいというわたしの願いはあまり反響を呼ばなかった。

ホッキョクグマがライオンほど平和な動物かどうかその頃はまだ確信が持てなかったし、パンコフは、わたしを困らせるためだけに無理を言っているのではないかという疑いもどこかにあったが、とにかく何でも引き受けて立派にこなしてみせるつもりだった。

夫のマンフレッドは熊使いとしてすでに名をなしていて、わたしも何年か前に熊たちが光の粒子になって舞台を流れていくような滑らかな舞台を観《み》て息を呑《の》んだことがあったが、恋に落ちたのは夫の全盛期ではなく、その数年後、偶然マンフレッドの練習光景を見せてもらった時だった。マンフレッドは弟子たちに敬われ、髪の毛をきれいに梳《と》かし、練習だというのにイギリス製の乗馬服を着込んでブーツを履き、外見上はベテランの落ち着きを保っていたが、ヒグマと向かい合うと動揺し、恐れが顔に表れた。ヒグマはマンフレッドには関心を持たず命令にも従わなかったが、マンフレッドが自分の思い通りにならないいらだちから鞭を鳴らすと、むっとして吠えた。

ヒグマは同じ空間に人間がいても、無関係でいようと決めれば、あたかもそこにいないかのように振る舞うことができる。狭い国で無駄な争いを避ける知恵で、聞いたところによると日本の満員電車に詰め込まれているサラリーマンも同じ特技を身につけているそうだ。

でも、そんなヒグマでも挑発されれば答えるしかない。マンフレッドは熊の心を操っているのではなく、挑発していた。熊使いにあってはならない失敗だった。そのことに気がついたのはわたしだけだろうか。熊とは心が通じなくなってきていたマンフレッドはその時期、人間に心を開いていた。練習の後で公園のベンチで話をしていて意気投合し、すぐに距離が縮まり、市役所で結婚届を出すまでそれほど時間がかからなかった。わたしにとっては二度目の結婚だった。小学生の娘を母親のところに預けていると話してもマンフレッドは何も言わなかった。前の夫もヒグマのショーをしていたと話しても顔色を変えなかった。

マンフレッドは次のシーズンはアラスカアカグマの舞台で鳴らすつもりでいたが、新来の熊はまだ環境に慣れておらず、たとえ砂糖をバケツ一杯もらっても耳一つ動かしてやらないぞというひねた表情をしていた。パンコフが練習を見に来ると夫は意味もなく何度も鞭を鳴らしてごまかしていた。夫は身だしなみに気を遣わなくなってきていて、汗で濡《ぬ》れて乱れた柔らかい髪の毛も乱れるままにしていた。練習の時は裸足《はだし》で、なよなよになった紺のジャージを着ていた。

初日までまだ時間はあったので稽古《けいこ》が進んでいないことはかまわなかったが、問題は熊がいらいらし始めても夫は歯をむき出されるまでそれに気がつかないことだった。わたしは夫の練習光景を見ていると、外国語のできない人ができるふりをして適当に受け答えしているのを端で観ているようでひやひやした。

そういうわけで、パンコフに呼ばれて「あのアラスカアカグマは性格が難しいからしばらく動物精神科医に預けよう」と言われた時には夫もわたしもほっとした。「その代わりホッキョクグマが来ることになった」とパンコフが微妙なニュアンスで告げると、夫はびくっとしたが、夫ではなくわたしが前面に出て熊を扱うというパンコフのアイデアを聞くとほっと胸を撫《な》で下ろした。

夫は生まれつきわたしのように目立ちたがり屋でも出世の鬼でもない。できればもう猛獣使いの御役目は降りたいと内心思っていたのだろうが、一度乗ってしまった列車から飛び降りるわけにはいかない。それでも、鈍行から特急に乗り換えて、熊の中でも身体が並外れて大きく、顔の表情が読みとりにくく、しかも獰猛《どうもう》だと言われるホッキョクグマと対決しろと言われたら、窓から飛び降りたくなったのではないかと思う。

夫はその頃、夜中に時々悪夢にうなされて犬に噛《か》まれた少年のような叫びを上げることがあった。わたしは子供の頃一度、友達が犬に噛まれるところに居合わせてしまったので、その叫びを知っていた。

パンコフはすでにかなり具体的に舞台のイメージを頭の中で作り上げているようだった。わたしがヘアバンドをして丈の短いスカートをはいて、妖精《ようせい》のように一人でホッキョクグマたちを自由自在に動かしているように見せかける。実際は夫も脇《わき》で熊を見張って危険がないようにする。観客には、夫がただの助手のように見えるが、影の権力者は夫である。パンコフは夫の誇りを傷つけないように注意深く言葉を選んで話しているようだったが、夫は傷つくどころか喜びが一分ごとに高まっていくようで、弾んだ声で「ところで熊は何匹来るんですか」と訊《き》いた。「九匹だ。」九匹と聞いて、夫はぎょっとしたように黙ってしまった。

パンコフが急きょ新しいアイデアを必要としたのは、九頭のホッキョクグマがソ連からのプレゼントだったからだ。そのようなありがたいプレゼントを我がサーカス団がいただくのは初めてだった。それにしてもソ連はなぜ急に東ドイツにプレゼントをする気になったのか、と誰もが声には出さずに考えていた。もしかしたら我が国がそのうちソ連に離婚を言い渡し、昔、夫だった西ドイツのところへ戻ろうとしていることを第六感で感じ取ったのかもしれない。または可愛《かわい》らしいパンダをあちこちでプレゼントして友好関係を広げている隣国に対抗しようと考えたのかもしれない。いずれにしてもこのプレゼントはすぐに、うちのサーカス団に押しつけられた。

ケーキをもらったら食べ、絵をもらったら壁にかけるのが贈られた側の礼儀というもの。九頭のホッキョクグマは観賞用ではなく、踊り子だった。レニングラードにあるアカデミーを優秀な成績で卒業した踊り子たちばかりなので是非舞台にのせて欲しいと手紙に書いてあったという話で、とにかくクレムリンから次の訪問客が来るまでに、そのプレゼントを舞台の花形に仕立て上げた立派なショーを用意しておくようにと、当局からパンコフに圧力がかかっていた。地震や雷と同じで、クレムリンからの来客はいつ来るか分からないので、とにかくなるべく早くショーをでっちあげなければばいけない。

ホッキョクグマと聞いてわたしが思い出したのは、猛獣グループに入れようとして苦労した時のあの熊ではなく、いつか子供劇場の舞台で観た女優熊だった。確かトスカという名前だった。当時のわたしは、仕事のつきあいでチケットをもらって、どちらかと言うと暇つぶしをするために劇場に入ったのだと思う。トスカのことはまだ何も知らなかったが、劇場に入って席につくと、隣の席の夫婦がトスカの噂《うわさ》をしているのが耳に入って来た。

トスカはバレエ学校を優秀な成績で卒業したのに、なかなか役が付かないで、期待された「白鳥の湖」のオーディションにも落ちてしまったので、今は子供劇に出ているという話だった。母親はカナダから東ドイツに夫婦で亡命してきて自伝を出版した立派な人格者だが、その自伝は幻の名作と言われて今では手には入らないそうだ。

真っ白な巨体が、ふんわりどっしりと舞台に現れたのを目の前にして、一列目にすわっていたわたしは息がとまりそうになった。こんなにも軽やかで柔らかく、しかも肉の重さと暖かさを感じさせてくれる命のかたまりがこの地球に存在するのだということを、いろいろな動物を知り尽くしているつもりになっていたわたしも知らなかったのだ。

その子供劇の中でトスカには台詞《せりふ》がなかったが、無言のままかすかに開いたり閉じたりする口元から目が離せなかった。トスカが何か話しているのに自分にはその声が聞こえないというもどかしさでわたしは息が苦しくなってきた。その時の舞台照明はその時代にしては大変凝ったもので、赤、黄色、緑と色をかえながら、光のカーテンが空中で絶えず翻《ひるがえ》る。オーロラを真似《まね》たつもりだったのかもしれない。光が変化すると、トスカの毛並みも象牙色《ぞうげいろ》、大理石色、樹氷色と変わっていった。

上演中、四度、トスカと目が合った。

さて、ソ連から来た九頭のホッキョクグマは、驚いたことに到着一週間後には早速「白熊組合」を作って、ばりばりの労働条件を掲げてパンコフと談判、パンコフが取り合わなかったので、ストに突入した。

この白熊たちはドイツ語がぺらぺらなだけでなく、労働法の用語などわたしの知らない単語まで知りつくしている。白熊組合の要求してきた労働条件は熊独特の発想に基づく風変わりな内容かと思えばそうでもなく、残業手当、生理休暇、新鮮な肉と海草を食べられる食堂、氷水の出るシャワー室、完全冷房装置、夜十時まで開いている貸し出し図書館など、人間にも充分適用できる内容だったが、わたしたち人間はとてもパンコフにそんな要求をする勇気はなかった。それどころか、わたしたちは自分たちがサーカスと交わした契約書に何が書いてあるのかさえ忘れて日々の練習に追われていた。

パンコフはこの要求項目を目の前で読み上げられると顔を赤くして怒鳴った。「シャワー室とは何事だ。食堂とは何事だ。自分の部屋で水を浴びて餌《えさ》を食えば充分だろうが！　だいたいストなど許せん。ここは労働者の国だ。だからストなど存在しないのだ。分かったか。」

奴隷《どれい》には人権がないと昔の人が考えていたように、熊には人権がないと考えている頭の古いパンコフだったが、ひた隠しに隠していたインテリの弱みがぽろっと出たのか、図書館の設置だけは約束した。しかし、小国に来た大国の熊たちの側の辞書には「踏み込む」という言葉はあっても「歩み寄る」という言葉はない。一つくらい希望がかなっただけでストを終わらせるつもりはないようだった。

そんな状態が一週間くらい続いたある日、わたしはパンコフの部屋の戸をノックして入り、闇《やみ》ウォッカの差し入れをした。予想通り打ちひしがれ、ひからびた植物のような姿になりはてたパンコフは酒瓶を見て弱々しく微笑《ほほえ》んだ。パンコフがすぐにグラスと言うよりは歯磨きに使うような大きなコップをふたつ出してきてウォッカを注ぎ、わたしたちは乾杯し、わたしは飲むふりをしただけだが、パンコフがコップに一杯ぐっと飲んでほんの少し仮の元気を取り戻したところで、トスカの話をしてみた。パンコフは「ホッキョクグマ」という言葉を聞くとすぐに酔いがさめてしまったようで、もう一杯注いで、ぐっと一気に飲み干した。わたしはしばらく待ってから、「そのトスカを呼び寄せて二人だけのショーの練習をしてみたい」と申し出てみた。「ストがシベリアみたいに凍結状態なのにクレムリンから訪問客が来てしまっても、トスカとわたしが素晴らしいショーを見せれば、相手の猜疑《さいぎ》心にも雪解けが訪れるかもしれません。ロシアの政治家は多分、舞台の上の熊がソ連生まれなのか、カナダ生まれなのか、見分けがつかないと思います。」

そもそもホッキョクグマにナショナル・アイデンティティはない。グリーンランドで妊娠し、カナダで出産、ソ連で育児というのが常識で、彼女らは国籍もパスポートもなく、亡命さえしないで、いつの間にか国境を越えてしまう。

パンコフは酒に溺《おぼ》れる者が藁《わら》を摑《つか》むようにわたしの言葉にしがみつき、その場で秘書を呼び寄せて、子供劇場に電話をかけさせ、自分はぐんにゃりとソファーに身を任せてそのまま眠ってしまった。その間に秘書がてきぱきと事を運び、時々わたしに目配せを送ってよこした。トスカは今ちょうど出られる芝居がなくて退屈しているそうで、監督のサインをもらって、すぐにうちのサーカスに来ることに決まった。

後で聞いた噂によると、トスカは出られる芝居がなかったわけではなく、もらった役にケチをつけて子供劇場の人たちともめていたところだった。トスカが演じることになっていたのは、東独のある劇作家によって無理矢理子供劇に書き替えられたハイネの叙事詩「アッタ・トロル」に出てくる黒い雌熊ムンマの役で、トスカの言い分は次のようなものだった。

わたしはムンマの役が嫌な訳じゃない。身体《からだ》を黒く塗って黒熊の役を演じるのも、熊使いに繋《つな》がれて広場で淫《みだ》らなかんかん踊りを踊るのも、名誉なことだと思っている。でもいっしょに街頭で踊っていた夫のアッタ・トロルが一人だけ「自由」を求めて熊使いの鎖を嚙み切って逃げていったという話の筋が気に入らない。それではまるで自由を求めなかったムンマが卑劣だとでも言いたげな含みが気に入らない。路上で芸を売ってお金をもらうことがそれほど卑劣だろうか。同じ金を儲《もう》けてもハンザ同盟の大商人は卑劣ではないのか。あんなにたくさん肌を見せて踊るレニングラード国立バレエ団のプリマドンナは卑劣ではないのか。

それからもう一つ、とても気になることがある。ムンマがシングルマザーであることは熊としては普通だからかまわないけれど、子供を産んでから、可愛さ余って、末っ子の耳を食べてしまったなんて、そんなことは絶対にありえないのでその部分は書き替えてほしい。そして何より問題なのは、ムンマが資本主義国の首都パリの動物園で舞台に立って栄光を得たことを非難され、シベリア産の白い熊と恋人になったことを非難されて、この芝居が終わること。パリのどこが悪い。白熊のどこが悪い。

当時は女優が芝居の中味について意見を述べるのは生意気だと思われていたので、トスカにけちを付けられて、ドラマトゥルグも演出家もひどく自尊心を傷つけられて、怒りが高じて泣きそうになりながら劇場の総監督に訴え総監督もトスカに腹を立てたが、労働者を保護する法律があったのでトスカを首にすることもできないままみんなで地団駄踏んでいたところへ、ちょうど良いタイミングでサーカスからお呼びがかかった、ということらしかった。

トスカはサーカスに来ることが決まった時は手を叩《たた》いて喜んだが、着いた当日は、自分がスト破りであることに気がついてがっかりしたようだった。車輪のついた立派な檻《おり》に入って、白熊組合の九頭の前を通り過ぎる時、「スト破りの裏切り者!」という野次が飛んだ。

それでもわたしを一目見るとトスカは、まるであの時に目と目が合ったことを思い出したようにぱっと顔を輝かして立ち上がろうとした。檻の天井が低くて立ち上がることはできなかったが、近づいていくと、愛情をこめた目を向けて鼻をしきりと動かした。

子犬を飼い始めた子供のようにわたしは興奮して深く眠れず、翌朝五時には起き出して、早速、車輪の付いたトスカの檻を練習場まで押していって、その前に行って床にすわった。トスカは面白そうに近づいてきて、わたしにさわろうとして前足を格子《こうし》にかけた。わたしは立ち上がって、長いこと動かずにいた。トスカの心がとても静かなのが手に取るように分かったので檻の戸を開けると、わたしの全身のにおいをかぎ、手をなめた。それからまるで自分の背が高いことを自慢するように、二本脚でやすやすと立ち上がってみせた。ヒグマとは比べものにならないくらい背が高く、わたしの倍くらいはある。角砂糖を手のひらに乗せて差し出すと、四つ脚に戻って舌でなめ取って食べた。

「立ち上がるのなんて簡単なんだね。芸が遺伝子の中に入っているのかなあ」と、いつの間にかドアの陰から見ていた夫が感心して言った。「あなたも早起きしたのね。」「トスカの母親はサーカスの花形だったそうだが、親の覚えた芸は、子供に遺伝するみたいだね。」「芸が遺伝するはずないでしょう。」わたしは不機嫌に言い返したが、なぜわたしの機嫌をそこねたのか理解しかねるという顔で夫は続けた。「猿人が今の僕たちのように立って歩くまでには何万年もかかったんだろうけど、僕らは生まれて一年もすれば立って歩けるだろう。それは祖先が練習してきた成果が遺伝子の中に入っているのさ。」

鉄の骨組みだけから成る太鼓橋がこの日の午後に届いた。トスカはこの不思議なオブジェを観《み》るとすぐに近づいていって前足をかけ、用心深く一歩ずつ登っていって、一番高いところに来ると立ち止まった。それから鼻を左右に振り、自分を囲む空間全体のにおいを嗅《か》いだ。これだけでも立派な芸に見える。夫は少し離れたところで、満足そうに頷《うなず》いていた。「本当にそれだけでも芝居になってるよ。」「あとの九頭が稽古に加わるようになったら全員があの太鼓橋の上に乗って立ち上がるようにするんだ。」いつの間にかパンコフが夫の隣に立って、得意げな表情を鼻先に浮かべていた。「ちゃんと五千キロの重量に耐えられるように作らせてある。ところであのオブジェの正式名を知っているか。明日に架ける橋と言うのだ。いかすだろう。俺が自分で命名したんだ。」

午後になると夫は、昔アザラシが芸に使っていたという青いボールをどこかから出して持ってきた。見せるとトスカはすぐに近づいてきてにおいを嗅ぎ、鼻で押してころがして前へ進んだ。角砂糖を与えると、また同じことを繰り返した。

これで芸になるなら、トスカに芸を教えるのは、あまりにも簡単過ぎる。芸を教えるのではなく、トスカが好奇心から行う行為をつなぎ合わせていって、いつでも繰り返せるように約束事を作れば、それだけで見せられる舞台が作れそうだった。夫もパンコフもすっかり安心してしまって、「ビールで乾杯しよう」などと言っていたが、わたしは不満だった。ボールを転がすなんて、トスカの神々《こうごう》しい盛り上がっていたが、わたしは不満だった。

盛り上がっていたが、わたしは不満だった。ボールを転がすなんて、トスカの神々《こうごう》しいオーラにふさわしくない。明日に架ける橋に登って遠くを見るなんていう臭い芝居は誰にでもできる。もっと観客をはっとさせるような芸はないものか。わたしは自分がひどく野心的になっていることに気がついて苦笑した。

その頃のわたしにはまた、一度目の結婚直後にかかったのと同じような鬱《うつ》病の兆候が現れ始めていた。もちろん当時の東ドイツには鬱病というものはなかったので、わたしはそれを「曇天」と呼んでいた。娘が生まれて、自分自身が哺乳類《ほにゅうるい》なのだと感じながら子供に乳房を吸わせ、オムツを替え、サーカスの事務を手伝い、初めの夫の下着を洗濯し、舞台衣装にアイロンをかける毎日が続いたあの頃、曇天が襲ってきた。それまで積んできた動物調教師としてのキャリアを捨てて、主婦になった。空虚というのは空っぽで重さがないものかと思っていたらその逆で、日中ふと仕事の手をとめると胸の中で膨張し続けるそれが重すぎて、夜はそれが胸にのしかかってきて寝返りばかり打っていた。また舞台に立ちたい。まぶしい照明や耳をつんざくような拍手を浴びたい。そして何より、動物と向かい合って毎日仕事をしたい。このまま行ったら自分は世の中から忘れられてしまう。あの時、娘を母に預けてむちゃくちゃな猛獣グループを引き受けたのは、そんな焦《あせ》りからだった。その頃と同じ気持ちがマンフレッドと再婚してから蘇《よみがえ》り始めていた。曇天に穴をあけて青空の一角を見るために、世の中をあっと言わせるような舞台をつくりたい。

わたしが頬杖《ほおづえ》をついて黙っていると夫は心配して「どうしたの？」と訊《き》いてくれる。「空が曇っているから」と答えると、「アンナをお母さんに預けっぱなしにしていていいのか」と意外なことを言い出す。「せめて会いにいけばいいのに。」「そんな時間ないわ。バスがすごく不便なこと、知ってるでしょう。それに世の中をあっと言わせるような舞台をトスカといっしょに作り上げるためには、子供のことなんか考えている暇ないわ。」

ドイツ統一後にこんなことを言ったら、「鴉《からす》のお母さん」と呼ばれてしまったかもしれないが、当時は国営の保育園に子供を預けっぱなしにして週末にしか会わない母親はたくさんいた。職種によっては何ヶ月も子供の顔を見ない女性もいた。母性愛という神話が囁《ささや》かれることはごく希《まれ》だったし、宗教は弾圧されていたので聖母マリアが幼子イエスを抱く絵も見たことがなかった。これはずっと後になってからの話だが、東ドイツの終焉《しゅうえん》とともに母性愛の神話が蜃気楼《しんきろう》のようにドイツの地平線に現れ、トスカが息子を育てなかったことであれほどマスコミの非難を浴びたのが可哀想《かわいそう》でならない。「トスカは東独出身だから生まれた子供を人に任せて、自分で育てない」などと悪口を言う人がたくさんいて、「社会主義サーカスで働いていたためにストレスで育児本能を失った」などとまことしやかに書き立てる新聞さえあった。これはとんでもない誤解で、第一に「ストレス」などという言葉は西側の「製品」で東独にはなかったし、第二に育児本能などという本能は人間にはあるのかもしれないが動物にはない。動物が子供を育てるのは本能ではなくアートである。アートだから、育てるのは我が子でなくてもいい。

わたしの野心は、曇天への恐れから来ていたのかもしれない。「わたしは玉乗りや橋渡りの芸では満足できません。これまでなかったような芸をトスカと作り出したいんです」と野心を隠さずにパンコフの前で見得をきってみせると、パンコフはビールを飲む手をとめて急にまじめな顔になり、「それなら民俗学や神話学の本を調べたらヒントが得られるんじゃないか」と言った。サーカスに勤めている連中は教養が高いことを隠して生活していることが多い。その方が当局に睨《にら》まれる危険が少ないし、舞台が輝いて見えるからだ。意地悪で下品なところのあるパンコフも実は人類学の博士号を持っていた。

夫とわたしはパンコフに紹介状を書いてもらい、一日休みをとって大学図書館へ出かけた。北極学の本は数冊しかなかったが、めくっていると、これまで知らなかったことがいろいろ出ていて、何のために来たのかも忘れて読みふけってしまった。

ホッキョクグマは人間との接触がなかったので人間が危険な動物であることを知らず、好奇心がとても強いので、小型飛行機を見ると不思議がって寄って行く。ハンターは好奇心から近づいてくる熊を正面から撃つ。弾は簡単に当たる。そういうわけで、特別な技術もいらないし、危険も少ない熊撃ちが、スポーツとして流行《はや》りだした。一方、金儲けをするためには生け捕りにしなければならないがこちらは多少の技術を必要とした。熊は睡眠薬を撃ち込んだだけで死んでしまうことがあり、輸送中にも病気にかかって倒れることが多かった。ソ連は1956年、ホッキョクグマの捕獲を禁止したが、アメリカ、カナダ、ノルウェーはその後も捕獲を続け、1960年には飛行機でやってきたスポーツハンターの銃で少なくとも三百頭の熊が殺された、と書いてあった。

わたしが息を荒げて憤慨していると夫はわたしを笑わせようと思ったのか、「君がカウボーイの格好をして銃で撃つ真似《まね》をして、トスカがわざと倒れて死んだふりをする、という芸はどうだろう」と言い出した。「ばかばかしい。それからどうするのよ？」「トスカは急に起き上がって、今度は君を食べてしまう。暴力の犠牲者が生き返って悪を倒すという筋書きだ。」「だめだめ、観客はサーカスには社会主義リアリズムを求めてないのよ。何かもっと神話的な内容がいいわ。」「それならエスキモーの研究書でも読んでみようか。」

イヌイットがホッキョクグマについて持っている知識は豊富だが、学者はそのほとんどを否定するしかない、とある本に書いてあった。証拠がないというのが否定する唯一《ゆいいつ》の理由だそうだ。「僕らは学者ではないから、証拠なんかなくても、イヌイットの言うことは全部信じてもいいんじゃないか。」「そうしましょう。わたしは動物学者になりたいと思ったこともあるんだけれど、ならなくて良かったと思える理由がやっと見つかったわ。」

あるイヌイットの証言によると、ホッキョクグマは冬眠するときには尻《しり》の穴に栓をするそうだ。「尻の穴にワインのコルクを入れて、それをおならで飛ばすという芸を見せたら、どうだろう」と夫が言うので、わたしはむっとして「そんな下品な芸は自分が舞台でやれば？」と言ってやった。トスカのように上品な婦人に舞台の上でそんな芸をさせるなんて考えられない。

ホッキョクグマが氷の塊を頭で押しながら進むところを見たというイヌイットの証言がいくつかある。そうやって姿を隠して獲物に近づくらしい。これはきっと本当だろう。トスカもボールを見るとすぐに鼻で押して進んだ。

「君が乳母車に入って、トスカがそれを押して歩くというのはどうだ」と夫が言い出した。それはわるくないかもしれない。「でもトスカが母親でわたしが娘というのは、観客の心が求めている役割分担かしら。わたしが赤ちゃんの役でいいの？　トスカに世話してもらうの？」「ローマ帝国を建国した双子のきょうだいも狼《おおかみ》の母乳を飲んで育ったと言われるだろう。建国者になるほどの大物は、動物のところに里子に出されたというような前歴がないとだめなんだ。」「それなら、わたしが熊の乳をもらって育てられるところから女帝になるまでの物語をミュージカルに仕立てたらどうかしら。」「いいね。でも僕らが今図書館であわててアイデアを捜しているのは、時間がないからなんだよ。ミュージカルを作っている余裕はないよ。」

ホッキョクグマが傷口に雪を当てて血を止めるというイヌイットの証言もある。これも想像しただけで美しい仕草だが、舞台で見せるのは難しい。

イヌイットは、ホッキョクグマは左利《き》きだと信じている。それが本当なら、舞台の上で、左手で黒板に字を書かせたら面白いだろうけれど、ロシアからの訪問客に見せるのだからやっぱりキリル文字を教えなければいけないだろうし、キリル文字は左手で書かせるには難しすぎる。

「でもキリル文字より漢字の方がもっと難しいだろう。中国のパンダは漢字が書けるそうだよ」と夫が言い出した。「いつだったか、その話をパンコフにしたら、くやしがって歯ぎしりしながら、そんなのは文字改革の成果を褒め称《たた》える中国政府のプロパガンダにすぎん、なんて言うんだ。だから聞き返してやった。どうしてそれがプロパンダになるんですか、画数が減れば熊にも書けるっていうことですかって。」「それでパンコフは何て答えたの?」「書けるわけないだろうってムキになって言ってた。画数が減っても漢字は漢字で、パンダはパンダだって。でももしもパンダの方が生まれつき頭がいいのだとしたらどうする? そのことにクレムリンからの来客が気がつかないような演出をすることが先決問題だろう。」「頭の良さなんて比べられるものじゃないし、動物の舞台は知能の高さを自慢するためのものじゃないわ。パンダになりたいけれどなれないということばかり思い悩んでいたら先に進めないでしょう。」「熊それぞれ違った良さがあるってことか。それにサーカスは知能指数を見せびらかすためにあるんじゃないものな。そう言えば、三匹の熊っていう絵本があっただろう」と夫が急に思い出したように言った。「そうだ、あの絵本の中の熊たちのように、人間が普通にやっていることを熊がやるのが可愛《かわい》いし、面白いんじゃないか。テーブルに向かって椅子《いす》にすわって、ナプキンを膝《ひざ》に置いて、ジャムの瓶をあけて、パンに塗って食べるとか、コップでココアを飲むとか。」

閉館時間が来て、役人気質《かたぎ》の図書館員に無愛想に外に追い出されても夫は上機嫌で、「僕は舞台に立ったり、動物の訓練をするよりも、図書館で下調べをして、君の芸の振り付けを考える方が性に合っているような気がしてきたよ」などと言っている。わたしは夫の横顔を盗み見た。いつの間にか頰がこけて、目の周りが黒ずんでいた。髪は霜降り、眉毛《まゆげ》がひどく伸びている。熊と実際に対決しないでいいことになったのでほっとして、堰止《せきと》められていた老いがどっと押し寄せてきたのかもしれなかった。

翌朝早速家庭的なシーンの稽古《けいこ》に入ったが、トスカはジャムの瓶の蓋《ふた》をまわして開けることはできたが、ジャムをナイフでパンに塗るのは無理だった。不器用だからではなく、ジャムの瓶を開けたとたんに長い舌を突き入れてジャムをなめてしまうからだった。もちろんトスカを説得すればどんな芸でもやってもらえると期待していたわけではない。問題はわたしたちの力不足のせいで、うまいトリックを考え出すことができなかったところにあった。

「困ったね。ちょっと煙草《たばこ》を吸ってくる」と言って夫は外に行ってしまった。そう言えばこのところ夫は煙草の本数が一気に増え、パンコフにつきあってウォッカもよく飲むようになっていた。わたしは一種の寂しさを感じて、トスカの方を見ると、トスカは横目でわたしの方を見ながら赤ん坊のように仰向けになった。その格好を見ているうちに、娘のアンナが赤ん坊だった時のことを思い出した。ずっと会っていないけれど、どうしているだろう。学校ではちゃんと友達はできたんだろうか。

夫は翌日も図書館に通い、わたしはトスカの元に残った。芸の内容が決まらなくても、登場と退場の練習はできる。わたしは檻《おり》を開けて、トスカに背を向けないようにしながら練習場の隅の方にゆっくり歩いて行った。練習場の床にはボールや熊のぬいぐるみやバケツなどが置いてあった。トスカは、脇目《わきめ》もふらずわたしの所へ駆けてきて、身体《からだ》のいろいろな部分のにおいを嗅《か》いだ。特にお尻と口と手のにおいを丹念に嗅いでいた。わたしは吹き出しそうになるのをこらえてじっとしていた。

夫は図書館で本に埋もれて一日過ごすつもりなのか、昼を過ぎても帰って来ない。胃がぐうと鳴ったので昼を食べに行こうとトスカに檻に入ってもらうと、そこにパンコフの秘書が、「これはロシアのサーカスのお古で少し壊れていますが関心あるんじゃないかと思って」と言いながら、子熊の乗る三輪車を押してきた。頑丈に作ってあって、わたしが乗っても平気だったが、ペダルは重くて踏めなかった。トスカは檻の中からうらやましそうにわたしを観《み》ていた。トスカには小さすぎる。トスカ用三輪車を作って欲しいとパンコフに頼めば、すぐにサーカスの赤字の話になるに違いなかった。

わたしは膝を極端に曲げて子熊用の三輪車に腰掛けたまま、貧しい時代のことを思い出していた。学校を出てすぐ電報局に勤め、メッセージを自転車で配ってまわっていた頃はもちろんのこと、戦後もずっと貧しかったのに、東独ができてから次第にすべての会計報告が黒字に輝き始めた。赤字というのは西側諸国にしか存在しないのだと聞いていた。

自転車で電報を届ける道々、曲乗りの練習をしてみることがあった。スピードをあげていってそのままブレーキをかけずにカーブを切ると、身体が横になって、踝《くるぶし》が地面につきそうになる、その時の遠心力に引っ張られる快感を思い出した。ハンドルをぐっと引き寄せて前輪を宙に浮かして、後輪だけで走る時の感覚も思い出した。またハンドルをしっかり握った両手首に体重をかけて、そのまま腰を浮かしていくと、足をペダルから離してそのまま逆立ちさえできそうだった。あの頃の自分は今自分が思っているような自分ではなかった。もっと軽やかで、無鉄砲で、赤字を恐れてなんかいなかった。昔思い描いていた曲芸というのは、虹《にじ》を飛び越えたり、雲に乗ったりすることだった。

その時、目の前にあるトスカの瞳《ひとみ》が黒い炎になってゆらめき始め、あたりがまぶしいくらい明るくなって、その明るさの中で天井と壁を区切る線が消えていった。トスカのことは少しも怖くなかったけれど、まわりの雰囲気が怖かった。わたしは足を踏み込んではいけない地帯に来てしまっていたのを感じていた。ここでは諸言語の文法が闇《やみ》に包まれて色彩を失い、溶けあい、凍りついて海に浮かんでいる。「話をしましょう。」一枚の氷の板の上にトスカといっしょに乗って海に浮かんでいるというだけで、トスカの言っていることが全部分かる。隣にも似たような氷の板が浮いていて、イヌイットと雪兎《ゆきうさぎ》が話をしている。

「あなたのことが全部知りたい」とトスカが言った。「あなたが小さかった頃、怖かったものは何?」意外な質問に戸惑った。怖いもの知らずの猛獣使いとして知られたわたしは、それまで怖いものは何かと訊かれたことがなかった。でもそんなわたしにも確かにとても恐れていたものがあった。

たとえば夏の夕方、アパートの廊下で一人遊んでいると、背後で虫の気配がすることがあった。ふりかえると、触角をそわそわと動かしながら、廊下の隅を移動して行く虫がいる。消え入りそうなほど細い六本の脚が、かさばる甲羅をやっとのことで運んでいく。脚だけが昆虫で、甲羅は背負っている荷物なのか、それとも甲羅にも血が通っているのか分からない。わたしは甲羅ではなくランドセルを背負っている。それはランドセルなのだけれど、ずっとおろせないでいたので身体の一部になってしまっている。ちょうど土に植物の根がはるように、背中からいつの間にかランドセルの中に血管が伸びてしまった。無理に剝《は》がしたら、背中の皮膚がはがれて血が流れるだろう。「帰ってきたの？」と母の声がする。「これからでかけるから、一人でご飯食べていてね。」「どこへ行くの？」「お医者さんよ。」「歯医者さん？」「産婦人科よ。」産婦人科と聞いて、またランドセルをおろせなくなって、背負ったまままた外に駆け出した。緑色を目指してどんどん走っていく。家のまわりの景色が遠ざかっていって、わたしは少しずつ濃い緑のにおいに包まれていく。緑には緑のにおいがある。赤には赤のにおいがある。赤のにおいは、薔薇《ばら》と血の混ざったにおい。白には雪のにおいが宿っている。でも冬はまだ遠く、白にはまだ行き着けない。もうこれ以上走れない。立ち止まって膝に手を当てて、口だけでポンプのように息をしていると、絹のように羽根の薄い羽虫が髪の分け目にとまった。たまらなくむずがゆくなって、手で払うと一度は飛び去ったように思えたが、しばらくするとまた同じ場所に戻ってきた。つむじの延長線上にある上空をつかんで、眼の前に持ってきて、おそるおそる開けてみる。ばらばらになった羽根が粉っぽく光っている。頭に当たる部分がない。羽根だけが飛んでいたのか。捕まれて分解したのか。わたしの髪の毛だって、本当は身体の一部ではなくて、細長い昆虫なのかもしれない。それがヒルのように頭皮に食いついて、脳《のう》味噌《みそ》の血を吸って生きている。わたしは自分の髪の毛に嫌悪《けんお》を感じて、一本、また一本と抜き始めた。

左足の甲をじっとみていると、これまで見たことのないほくろがある。触ると動いた。蟻《あり》だった。蟻の顔を見極めようと目をこらすと、漆黒の仮面が拡大されるけれど、目も口もない。下腹が張ってきて、尿が漏れそうなので、立ったまま少し脚を開く。おしっこの出口ばかりが熱くなっていって何も出てこない。地面をじっとにらみつけていると、句読点が地面に並んでいる。これも蟻だ。そう思った途端、熱いものが尿道を抜けて外に吹き出し、腿《もも》の内側をつたって流れ落ち、蟻たちがいっせいに活力を得て、その尿の道を逆にたどって内股《うちもも》を一列になって登ってくる。助けて、助けて。わたしはトスカの膝に顔を埋《うず》めて泣いていた。やっとこの年になって親友ができ、怖かったことを怖かったと話して泣くことができた。そう思うとその涙は甘く、終わってしまうのが惜しいので、わたしはわざと大声をあげて新たに泣きじゃくった。

「どうしたの」と急に波長の全く違う声がした。ランプがついて、夫の寝間着の模様が見えた。どうやら夢だったらしい。「悪い夢でもみたの？」わたしは気まずい思いで涙をぬぐって、「子供の頃、虫が怖かったんだけれど、急にそんな夢を見て。」「虫って、蟻とか？」「そう。」夫は寝間着の胸をしわくしゃにして笑った。「ライオンも熊も怖くない君が、蟻が怖いの？」「そうよ。」「芋虫も怖いの？」「まあね。でも蜘蛛《くも》が一番怖い。」すっかり目が覚めてしまったので、夫に恐ろしかった蜘蛛の話をすることにした。

その頃ホルストという名前の、いいにおいのする少年が近所に住んでいた。「駅の裏の果樹園に忍び込んで林檎《りんご》を盗もう」とそのホルストに誘われて、だまされたつもりでついていくと、果樹園は枝が低い屋根のようになっていて、子供でも届く高さに林檎がぼろぼろとなっていた。特別大きくて赤いのを見つけてもぎ取ろうと背伸びした瞬間、蜘蛛が目の前につうっと降りてきた。蜘蛛の背中に浮かび上がった模様が顔に見えた。その顔が、鼓膜を引き裂くような叫び声をあげた。と思ったら、それは自分自身の声だった。悲鳴を聞きつけて飛んできた果樹園の主人は気絶した少女を叱《しか》る代わりに看病して家まで送ってくれた。

それからしばらくして、ホルストが「雑貨屋の裏の倉庫においしいものが隠してあるようだから盗みに行こう」と言い出した。倉庫の前には番犬が繋《つな》いであって、近づいていくと上唇をまくり上げて唸《うな》った。近づく者には嚙《か》みつくぞという犬の気持ちがあまりにもはっきり現れていたので「嚙まれるから、帰ろう」と言うと、ホルストは、「こんな小さな犬が怖いのか」と言って、犬の横を平然と通り過ぎようとした。「嚙まれるよ」と叫んだ時にはもう、犬はホルストのふくらはぎに食いついていた。犬は嚙みついたまま、嫌々をするように首を激しく振った。ホルストがこの時あげた悲鳴は、わたしの鼓膜に一生刻みつけられた。

それから何日かしてホルストと二人、雑貨屋の前を通ると、同じ犬が繋いであったが、この日はとても機嫌がよく、頭を撫《な》でてくれという目をして尻尾《しっぽ》を振るので、わたしは迷わず近づいていって頭を撫でた。ホルストはびっくりしていた。

動物の考えていることがアルファベットを読むようにはっきり読める。だから他の人間たちの目にはそのアルファベットが読めないだけでなく見えないのが不思議でならなかった。勇気の問題ではない。嫌われていると思ったらすぐに引く。好かれていると思ったら疑わない。動物は芝居も化粧もしないので分かりやすい。虫が怖いのは、虫の心が見えないからだった。

夫は熱心にわたしの話を聞いていたが、話が終わると沈んだ声で「僕はもう動物の気持ちが読めなくなった。昔は手に取るようにはっきり分かったんだけどね。そういう能力って、一時的に失ってもまた取り戻せると思うかい」と訊《き》いた。「それはもちろん取り戻せるでしょう。単なるスランプよ」と答えてから、わたしは嘘《うそ》をついた自分が後ろめたくなって、あわててランプを消した。

　翌日は一日中、入場とお辞儀と退場の練習をしたが、トスカは時々わたしの目の中を覗《のぞ》き込んで意味ありげな表情を見せた。やっぱり昨夜のあれは普通の夢ではなくて、人と動物の共有する第三地帯だったのだ。

「調子はどうだ」と言いながら半熟ゆで卵のキミを少し髭《ひげ》につけたパンコフが十時頃になって顔を出した。「ジャムセッションはだめそうなので、蜂蜜《はちみつ》セッションをやってみるつもりです」と夫が快活に答えた。「ほう、それはどういう芸だ？」「トスカが背中に羽根をつけて蜜蜂に変身して、花の蜜を運んでくるんです。蜂蜜ができると、熊の姿に戻って自分で食べてしまう。」パンコフの顔が曇った。「もっと分かりやすい芸はできないのか。玉乗りとか、縄跳びとか、バドミントンとか。複雑な芸をすると必ず社会批判ではないかと勘ぐられるから、やめてくれ。」

　トスカの乗れるような玉はないので、作って欲しいとパンコフに頼んでおいた。三輪車は無理でも玉くらいはどうにかなるだろう。バドミントンも道具がなくてできないので、仕方なく荷物を縛る縄を使って縄跳びの稽古をしたが、トスカは幸い全く飛べなかった。体重の割に脚の細いトスカが縄跳びなどしたら膝を痛めるだけだから、わたしは初めから反対だった。ロシアのあるサーカスでは、プードルに縄跳びをさせていることは知っている。「でもロシア人の後を追いかけているだけでは、我が国のサーカスの未来はないわ。」そんな偉そうなことをつい口に出していうと、夫が口に人差し指を当てて「壁に耳あり」と注意した。これは慣用句や比喩《ひゆ》ではなく、練習場の壁には本当に秘密警察の耳が仕掛けてあるのだった。

わたしたちはワゴンの中で寝起きし、事務所も食堂もワゴンの中にあったが、練習場だけはコンクリートでできた倉庫のような建物を使っていた。もちろん町にアパートを借りている団員もたくさんいて、サーカスの敷地内でみんなが寝起きしていたわけではないが、わたしと夫は根っからのサーカス人間で夜も敷地を離れるのが嫌でワゴンを寝室にしていた。サーカスの外で夫と寝起きしたら、夫が他人のように感じられるかもしれないという不安もどこかにあった。わたしたちを繋いでいたのはサーカス、それも熊だけで、性生活ではなかった。

この日も何も発展がないまま日が暮れた。わたしは内心、日が暮れるのを待っていた。ひび割れたチーズをのせた堅い黒パンを紅茶で流し込むと、もう歯を磨き始めた。「おい、もう寝るのか」と呆《あき》れた顔で尋ねる夫は、右手には囲碁セット、左手にはウォッカの瓶と煙草《たばこ》を持っていた。「きょうは縄跳びの縄のせいで、脳の中の縄がもつれて疲れたから、早寝させてね。」わたしは元々お酒は飲めないし、夫の囲碁の相手はパンコフの秘書に任せっぱなしだった。

一面の雪野原がぎざぎざした地平線まで続いていた。わたしは氷の上に毛皮を敷いてその上にすわり、トスカはわたしの膝《ひざ》に顎《あご》をのせて目を閉じていた。トスカには声がない。数千年もの間、まわりと話をしなかった氷の女神は、声がなくなってしまったのだ。でも、わたしにはトスカの考えていることが雪の日に真っ白な画用紙に濃い鉛筆で書いた字のようにはっきり読める。「生まれた時は真っ暗だったの。寒くて、いつも母にぴったりくっついていたの。母はいつも眠がっていて、物も食べないし、外にも出ない。穴から出るまでは、目が見えなかっただけではなくて、耳も聞こえなかったみたい。わたし未熟児だったのって後で訊いたら、熊類はみんな未熟児なんだって。あなたのお母さんはどんな人だったの？」

すっかり熊の子の気持ちになりきっていたわたしは急に質問されてはっと我に返り、

人間としての自分の幼年時代を思い出さなければならなくなった。

　わたしは物心ついた時から母と二人きりで暮らしていた。父は一人ベルリンで暮らしているということになっていたので、子供の頃から何となくベルリンという町が気になっていた。家の壁紙の模様ははっきり思い出せるが、父の顔は思い出せない。

　母と父の結婚式の写真らしいものを見た記憶がある。真っ白い手袋、ドレスの縁をもの悲しげに飾るレース、胸ポケットにはうなだれた薔薇。父も初めのうちは家にいたような気がする。いつ喧嘩《けんか》して、いつ家出したのか、娘のわたしには全く記憶がない。

　母はドレスデンの繊維工場で働いていた。ある日、近郊のノイシュタットにある工場に配属されることになって、通勤に便利なように郊外の住宅に引っ越したいと言い出した。新しい住宅も工場からそれほど近いわけではなかったが、すぐ前の道から工場行きのバスが出ていて便利だと母は言うのだけれど、子供心に他に理由があるように感じていた。たとえば最近よく来る隣の家の男との間に何かが起こり壊れていったのを会話の端々に聞き取り、だから引っ越すというのが大人の我《わ》が儘《まま》に思えて、わたしは引っ越しには反対した。もう一つ引っ越したくない理由があって、それはアパートの地下に住むねずみと別れるのが寂しかったのだ。ぐずるわたしに「引っ越せば、きっといいことがある。新しい場所には新しい動物もいる」と言って、母はなだめすかそうとしたが、この言葉が本当になってしまった。その頃、新しいアパートから一キロと離れていないところに「サラサニ」という名前のサーカス団が長期滞在していたのだ。

夢から覚めるとトスカではなく夫の背中が見える。もうすぐ夜が明ける。夫が目を覚まして寝返りをうって言った。「トスカとタンゴを踊るというのはどうだろう？」「一晩中考えていたの？」「まさか。今、目がさめた拍子に思いついたんだよ。」「わたしは踊りは得意じゃない。でもやってみる。」

日中は共通言語がないのでトスカと夢について話し合うことはできないが、ちょっとした態度や目つきで、きのう夢の中でトスカに話したことについてトスカが考えているのが分かる。

トスカと向かい合って立つ。わたしはトスカの前足を手にとるが、身長差が大きすぎて滑稽《こっけい》に見えないか心配になる。練習用の蓄音機は思っていたより更にひどいもので、ぶちぶちいう雑音の中から「ラ・クンパルシータ」の旋律を拾い出すのに骨が折れて、それだけでもう躓《つまず》きそうだった。わたしは不器用にステップを踏み出し、すぐにトスカの足を踏んでしまったが、トスカは全く痛くなかったようで、腰をかがめて、わたしの頰《ほお》をなめた。ジャムのにおいがしたのだろう。音楽がとまってしまい、夫が「変だなあ。これ以上故障しようがないはずなんだが」などと言いながら機械をいじっている音がした。わたしはトスカのお腹にそっと触れてみた。ごわごわした厚い毛とその下の柔らかい短い毛が二つの層を作っていた。さわっているうちに昔タンゴのステップを教えてもらったことを思い出した。記憶の中から女が口ずさむタンゴが聞こえてきた。「下がる、下がる、足をクロスさせて脇《わき》へ。」誰の声だろう。「ここでくるっとまわって、一歩さがって。」わたしはその声に従って、ステップを踏み始めた。トスカは初めはちょっと驚いた顔をしたが、手を引っ張ると素直に前に一歩出た。ちょっと押せば、すぐに一歩下がった。「足を交差させて横へ横へ。」それはキューバ出身の母親から生まれたという空中ブランコの女の声だった。あの時、踊りながら倒れて、熱い唇が触れあった。

いつの間にかパンコフが練習場に入ってきて隅の椅子《いす》に腰掛けて見物していた。「君たち、踊りは下手だが、向かい合って立っているだけで絵になるよ。ははは。タンゴが無理なら、トランプか何かでもいいかもしれないよ。」夫がひゅっと口笛を吹いた。「そうだ、囲碁はどうだろう。」「囲碁って、君が時々やっているあの日本のチェスか。」「そうです。白と黒の石を使うからちょうどいいでしょう。十頭の白熊が白い石のように碁盤の目の上を動く。オットセイを十頭借りてきて、黒い石の役をやってもらう。」「そんなことをしたら、すぐに白石が黒石を食べてしまって、こちらは大変な赤字だよ。それにチェスではなく囲碁など取り上げたら、チェスでは世界一だと思い込んでいるロシア人に対して何か皮肉をほのめかそうとしているのではないかと勘ぐられるからやめてくれ。ところで今日は若い演出家が一人、何か重要な相談事があって会いに来るというのだが、つきあってくれんかな。前にトスカといっしょに仕事したことがある人だそうだ。いいアイデアをくれるかもしれない。」

若手の演出家はホーニッヒベルグといって、トスカが「白鳥の湖」のオーディションで落ちた時、地方都市のバレエの振り付け師をしていて、選考委員会に入っていたそうだ。他の委員の頭の固さに腹を立てながら、トスカの魅力を熱心にうたいあげたのにトスカが採用されなかったことに今も責任を感じていると言う。トスカの半分も才能のないサギや狐《きつね》などの同級生たちが次々舞台にあがって活躍しているというのにトスカのような天才が世に認められないでくすぶっているのを傍観していられない、と息巻いている。

「白鳥の湖」のオーディションでは最年長の審査員が、「体格の良い女性はチャンスがない」と言ったそうだ。「男性の踊り手ならがっしりしていてもいいが、女性は妖《よう》精《せい》のようなタイプが好まれる。」そんな頭の古い連中と仕事するのはもうご免だと腹をたてた年若き振り付け師は、「こんな国でこれ以上頑張っても意味がない。いっしょに西ドイツに亡命しないか。ハンブルグのジョン・ノイマイヤーのところへ行かないか。すてきだぞ」とトスカを誘った。トスカは心が動いたが、家で年老いた母親にその話をするととめられた。西ドイツというのは天国と同じで、夢見るのはいいが、実際には行かないに越したことはない。トスカの母親はソ連で生まれ育ち、一度西ドイツに亡命し、そこからカナダに渡って結婚し、トスカを出産し、デンマーク生まれの夫の希望で家族で東ドイツに移り住んだという経歴の持ち主で、すでに亡命疲れしているそうだ。

もしどうしても行きたいなら無理に引きとめないけれども、もう親子が顔をあわせることはないだろうから遺言状を持って行きなさいと母親に言われ、トスカは亡命を諦《あきら》めて、バレリーナとしての華を咲かせることもなく、子供劇に出たりして新しい道を手探りで捜していた矢先、わたしたちのサーカスから声がかかったわけだが、トスカがサーカスに就職したと聞いて、ホーニッヒベルグは自分もバレエなどという古いジャンルとは縁を切って新しい時代の舞台芸術を捜そうと演出家になる決心をして、トスカの後を追って家出してきたと言う。「家出してきて住むところも仕事もないので、しばらくサーカスに置いて欲しいのです。その代わりトスカの舞台の演出を手伝いますから」と涼しい顔をしてずうずうしいことを言う。パンコフと夫はうさんくさそうな目で青年のはいている細身のジーパンをじろじろ見ていた。わたしはこの男からもっとトスカの話を聞き出したいと思って「トスカはこれまでどんな劇に出たんですか」と明るい声で言ってみた。男はこちらを見て意味ありげに笑ったが、答えなかった。

翌日、わたしと夫と家出人ホーニッヒベルグはトスカの檻《おり》の前に椅子を並べて小会議を開いた。初めはこの若い男を警戒していた夫も話しているうちに心をひらき、「現代の演劇はそもそも子供劇というものができてから堕落した」と言いだし、「サーカスだけが子供と大人を区別しない真の舞台芸術である」とホーニッヒベルグが調子を合わせ、「それなら一杯行こう」ということになって、昼からビールを飲み始めた。「ビールは良いけれど、トスカの前で煙草だけは吸わないでね。トスカが肺炎になったらどうするの？」「それなら話は外でしよう。ビールを飲んでも煙草を吸えないのでは、ステーキを食えても塩がないようなものだからな。」

わたしたちは会議場を外の洗濯物干し場の近くに移し、ホーニッヒベルグはわたしの質問にしぶしぶ答えて、トスカが体型や言語が違うためにいかに差別されてきたかという話をしてくれた。

わたしはトスカの苦難を思って胸を痛め、ああ芸人なんて本当に可哀想《かわいそう》だ、どんな経歴を辿《たど》っても今現在の舞台でしか判断されない。よほどの栄光に輝けば老年誰かが伝記を書いてくれることもあるし、誰も書いてくれなくても人間なら貯金して自費出版するという手もある。しかし熊の辿った女性としての苦難の道は死とともに忘れられてしまうのだろう。哀れなる者よ、汝《なんじ》の名は熊。一方、夫とホーニッヒベルグは飲めば飲むほど意気投合していくようで、「トスカをトラクターに乗せたらどうだろう。」「ヘルメットを被《かぶ》せてツルハシをもたせよう。」「女性労働者に乾杯!」などと言い合って、暗くなっても外のベンチで話し続けていた。わたしは二人の男たちの言葉を体から洗い流すようにシャワーを浴びて、九時には床に入ってしまった。

「母は自伝を書いたの。」「すごいわね。」「四苦八苦して試行錯誤して七転び八起きして諦めないで書き続けたの。」トスカの声はいつも氷のように澄み渡っている。「でもわたしには何も書くことができない。」「どうして?」「わたしはその伝記の登場人物だもの。」「それならわたしが書いてあげる。あなただけの物語を書いて、お母様の自伝の外に出してあげる。」

夢の中でトスカに大変な約束をしてしまい、四時に目がさめた。これまで手紙くらいしか書いたことのないわたしにどうしてトスカの伝記が書けるだろう。夫は隣でごうごうと鼾《いびき》をかきながら寝ていた。わたしはこっそり寝床を抜け出して、誰もいない食堂のテーブルに頬杖《ほおづえ》をついてぼんやりしていたが、ふと見ると床にちびた鉛筆が落ちていた。これはトスカの伝記を書けと運命がわたしを促しているのだと思い、覚悟を決めて、紙を捜し始めた。ところがなかなか見つからない。当時は紙が不足していて、時にはトイレで使う紙さえ町中捜しても売り切れて手にはいらないことがあった。棚の裏まで覗《のぞ》き込んで捜してやっと見つけたのが去年の掃除当番表で、幸い裏が白かった。

こんな紙でもないよりはましだけれども、あの自伝を書いて有名になった雄猫でさえ紙には不自由していなかったようなのに面目ない。人間は紙を必要とするものである。ホッキョクグマのように地平線まで続く巨大な白紙と向かい合って生きるのは無理だとしても、せめて一日に便箋《びんせん》一枚くらいは配給して欲しいものだ。わたしは掃除当番表の皺《しわ》を伸ばすと、さっき拾ったばかりのちびた鉛筆を使って書き始めた。

生まれた時は真っ暗で、何も聞こえなかった。隣にある暖かいかたまりに身体《からだ》を押しつけ、そのかたまりから突起している乳首を探り当てて甘い汁を飲んで眠る。この暖かいかたまりをクママと呼ぶことにする。

恐ろしいのは、時々巨人がやってきて、クママと喧嘩を始めることだった。クママは吠《ほ》えて追い出そうとするが、そのうち疲れてクママの声が弱くなると、巨人は穴に乗り込んできて吠えてかかる。クママがきしむような叫びをあげると巨人は刺激されてますます大声で吠える。「どうしたんだ、もう起きていたのか。」夫にそう言われて、はっと我に返り、あわてて左手で書いた物を隠した。「何書いているんだ。」「何でもない。」「ああ、喉《のど》が渇いた。お茶はまだか。」

当番の見習い生がやっと紅茶を沸かして大きな魔法瓶に入れて持ってきた。わたしは蓋《ふた》をまわそうとしたが、冷えかけた内部の空気が蓋を内側から引っ張って開けさせまいと踏ん張っている。左手で必死に魔法瓶を押さえながら、上半身を覆《おお》い被せるようにして、まるで自分の胸を大きなネジでまわそうとでもしているような格好になって踏ん張った。ふと見ると、力をこめすぎた右手が鷲《わし》の足になっている。「君、大丈夫？　僕があけようか。ところで、トスカが魔法瓶をあけるという芸はどうかな。」「それは名案ね。舞台用に新しい魔法瓶を買ってもらえないか、早速事務所で聞いてみる。」「僕も行くよ。ホーニッヒベルグはまだ寝ているのかな。」

管理事務所になっているワゴンに行って、「魔法瓶を熊があける芸を練習したいのだけれど一つ新しいのを買ってくれませんか」と尋ねると、財布の紐締《ひもし》め係をしている男は、とんでもないというように手を振った。「だめです。ここ数年、我が国は魔法瓶の生産が間に合わなくなっていて、壊れても新しいのが買えない状態です。芸に使うなんてもってのほかです。」ちょうどそこに書類の束を持って入って来たパンコフが事情を聞いて、「君たち、まだ出し物も決まっていないのか。呆《あき》れた長距離ランナーだな」とだけ言って忙しそうに姿を消した。

わたしはパンコフの声にめずらしく暖かみを感じたが、夫はそれを冷たい批判と受けとめたようでワゴンを出ると、そこに放ってあった木箱にがっくり腰を下ろし、頭を抱えてしまった。夫は熊だけでなく人の心も読めなくなっているのか、それともわたしの方が鈍感なのか。

夫がそのまま立とうとしないので、わたしは励ますつもりで昔話をしてみた。「わたしがデビューしたのはロバの芸だったこと話したでしょう。あれと同じことをトスカでやってみたらどうかしら。」

その時、その場面を待ち構えてでもいたようにホーニッヒベルグが寝間着姿で現れ、

「ロバの芸か。いいですねえ。話聞かせてください」と言って夫の隣に腰を下ろした。夫は急に元気を取り戻して「なんだ今まで寝てたのか。出て行ったのかと思ったよ」と言ってホーニッヒベルグの肩に手をかけた。

わたしが二十六歳でのんびりとロバ的デビューを果たすことができたのは、サーカスのポスターが検閲にひっかかったおかげだった。当時わたしが働いていたサーカスにヤンという名前のピエロがいた。団長は文字と数字の出てくる決定はすべて、この若い男に任せているという噂《うわさ》だった。満月の夜だった。掃除と動物の世話だけでなく、子供の世話まで引き受けていたわたしは夢遊病の子供を捜して敷地内を歩きまわっていて、事務所のワゴンに懐中電灯の明かりがついているのを見つけた。どうして電気をつけないんだろう、もしかしたらその子がいるのではないかと思って近づくと、団長とピエロのヤンの声がした。いつもと違ったはきはきした調子でヤンが団長に何か熱心に説明していて、団長は相槌《あいづち》を打ったり、質問を挟んだりしている。ヤンが団長に対して対等な言葉遣いをしているので驚いてその場を離れることができなくなってしまった。「団長、頼んだよ。当局に訊《き》かれたら、この文章がポスターの真ん中に印刷されているということを強調してくれ。サーカスは民衆の生活に根ざした芸術である。ルナチャルスキーの言葉だよ。」「そんな堅いフレーズで、客が入るのか。」「この文章は大きな字でど真ん中に印刷されているけれど、実は目立たないんだ。背景とほとんど同じ色だからね。ポスターを見た人の目はまず上に小さく書かれたブッシュ・サーカスという字に引き付けられる。これは字というよりロゴだからね、読むというより見ただけで、感覚に訴える。コカコーラのロゴと同じだ。それから次には下の方に小さく描かれた金色のライオンと水着姿のグラマーな女性の姿に目が行くようにデザインされている。我が国は広告心理学が発達していないから当局の連中は誰もこの作戦を見破ることはできないよ。このポスターを見た人は官能を刺激されて、どうしてもサーカスに行きたくなる、しかし我々は退廃芸術で金儲《かねもう》けしているなんて言われないですむ、というわけさ。」「しかしこの女性はちょっとテーブルダンサーみたいに見えないか。」「もしこの衣装がデカダンだと言われたら、これはオリンピック水泳競技で正式に認められた水着だと言ってくれ。猛獣と付き合うのは一種のスポーツで、手足を最大限自由に使えなければ労働者の身体に危険が生ずると説明してくれ。」「労働者って誰だ。」「サーカスの団員だよ。当たり前だろ。」普段は一応いばっている団長が、小学生のようにヤンの言うことを聞いている。その理由は後になって分かった。

しばらくたったある日、額の汗をハンカチで拭《ふ》きながら目つきの悪い男たちが訪ねてきた。自分にはどうせ関係のないことだからと馬の世話をしていると、団長がその一団を引き連れてまっすぐ近づいてくる。「君、ちょっと」と呼び止める団長の声はいつもより少しだけ低く、うさぎの首を摑《つか》んで持ち上げるような自信がこもっていた。男たちが半円になってわたしをじろじろと胸から腿《もも》まで眺め回している間、団長はもったいぶって、「この女性です。今はちょうど馬の世話をしているので、こういう服を着ていますが、ごらんの通りの美人で、運動神経も抜群です。これから衣装を着けさせますから、あれでも召し上がってお待ちください」と言った。「あれでも召し上がって」と繰り返してヤンがピエロらしい器用な手つきで杯をぐっと傾ける仕草をすると、一団はどっと笑ったがヤンの目は笑っていなかった。

夜になってやっと教えてもらったことだが、ポスターのデザインがどうも怪しいということで、団長は当局からかなり絞られたそうだ。「猛獣使いは瘦《や》せた白髪の男なのに、どうして存在しない退廃的な女の姿をポスターに描くのだ」と批判されて、団長が言葉に詰まると、ヤンが「実は才能のある若い女性が新しく入団して、近い将来、猛獣使いのスターとしてデビューする予定なんです。今は動物が慣れるように主に動物の世話をしていますが。うまくいけば今回がデビューになるのでポスターに出しておいたんです。でもこういう難しい芸ですから、まだ練習中何が起こるか分からないんで、出られると断言はできません」と答えてその場を救ったのだそうだ。咄嗟《とっさ》に思いついたとは思えない上出来の嘘《うそ》だった。「それならその女性を一目見たい」と言い出した男たちをヤンが平然と馬小屋で働いているわたしのところに案内したというわけだった。

わたしはヤンに引っ張られて衣装ワゴンに入り、服を脱がされ、団長の昔の恋人が着ていたピンクの衣装を着せられ、髪の毛をタマネギのように結い上げられ、アゲハチョウのような睫《まつげ》や、紅鮭《べにざけ》のような口紅を付けられ、当局の人たちがウォッカを喉に流し込んでちょうど酔い気分になった席に、立派なスターの卵として登場し、喝采《かっさい》を浴びた。

当局の人たちが帰ってしまったので衣装を脱ごうとすると、他の団員たちが集まってきて、「そんなに急いで脱がなくてもいいじゃないか。新人が入ったみたいで興奮するよ。」「前からこうなればいいなと思ったこともあったよ。」「驚いたわ。」「醜いアヒルの子と同じで、本当は白鳥だったのだね。」「そんなこと言ったら、本人に失礼よ。もともと醜くなんかなかったじゃない。」「でも目立たなかったから。」みんな口々に誉《ほ》めているのか、ねたましさからけなしているのか分からない言葉を吐きながら、うなずいたり、溜息《ためいき》をついたりしていた。

ヤンが、「嘘から真実が生まれることもある。どうです、五分くらいの短い出し物でいい。やらせてみては」と団長に言った。みんなの前なので団長に対して丁寧な言葉遣いをしていた。「いかがでしょう」と今度は団長がおそるおそる猛獣使いのマイスターにお伺いをたてた。このマイスターには団長も頭があがらないのだった。マイスターは怖い顔を崩さないで、「初めてだからロバがいいだろう」とまるで祖父が孫の進路を決めるような口調で答えた。みんなが驚いてマイスターとわたしの顔を見比べた。これまで自分以外の団員に舞台で動物を使うことを許したことのないマイスターが自分からそんなことを言い出したのだからみんなが驚くのも無理はない。

ヤンのおかげでポスターは無事審査を通り、印刷所にまわった。翌週、私服の警官が練習を見に来たので、わたしはあわててマイスターの側《そば》にくっついて練習している振りをしたが、彼らはわたしの方など見もしないでヤンを連れて行ってしまった。

寝苦しい夜が続いた。蒸し暑いワゴンの中に横になっていられなくなって外に出ると、どこかからすすり泣きが聞こえる。声のする方へ行ってみるとヤンの恋人だと噂されていた赤毛の女が泣いていた。「ヤンはまだ帰ってきませんね」と声をかけると、「逮捕されたってはっきり言っていいのよ。分かっているんだから。裏切ったのが誰なのかは分かっている」と言って、女は憎々しげに鼻に皺を寄せた。「団長?」と訊くと、「まさか。自分の息子を監獄に入れるはずないでしょう」という答えがすぐに飛んできた。「え、ヤンは団長の息子なの？」「そうよ。知らなかったの？」「それでロバの芸というのは一体どんな芸なんだい？　君の思い出話は面白いけれど長い」と夫が言った。「まあそうあせらないで。わたしは本を書く練習をしているんだから、細かいところまで順序立てて話していかないと。」「君が本を書くの？　自伝か何かかい？」「いいえ、他の人の伝記よ。でもそれを書くために、自分の人生で練習しているの。ロバの出し物の稽古《けいこ》が始まったところから話すからちゃんと聞いてね。」

「さあ、練習だ、練習だ。初日までそれほど時間があるわけではない。ヤンがあけた穴を君とロバとでふさぐんだ。」猛獣使いのマイスターのよく響く声が記憶によみがえってくる。ロバの芸の稽古が始まった。と言っても、実際に芸を教えてくれたのはマイスターではなくて、ロバといっしょに姿を現したベーゼル教授だった。教授というのは渾名《あだな》ではなく、昔ライプチヒ大学で動物行動学を教えていたことがあるそうだ。定年になってからあるサーカスでロバの芸で人気を得たが、何年か前に膝《ひざ》が痛んで、上演中も何度も手で膝をさすりながら椅子《いす》で休むようになった。それでもしばらくは、だまされ、おだてられ、やっとのことで働いていた膝もついにある日、ぎしっと音を立てて、完全に故障してしまった。それからは小さな庭付きの壊れかけた家でロバと二人仲むつまじく年金生活を送っていたが、団長に誘われると、ロバの芸を伝授するために喜んで遠征してきてくれたというわけだった。

「草食動物を愛しなさい。肉食動物に浮気すると君の運命は狂うよ。どう、可愛《かわい》いだろう。このロバは臆病《おくびょう》ではないけれど、向こう見ずではないので、芸に適しているのだ。」教授の連れてきたロバはプラテーロという名前だった。

人間は目の発達した動物で、まず相手の体つきや洋服や顔を見る。でもロバにとっては何より味覚が大切なので、にんじんをやって、自分はにんじんの味のする者だということを印象づけるといいのだと教授が教えてくれた。にんじんを口の前に持っていくと、プラテーロはカロカロといい音を立てて美味《おい》しそうに食べた。食べ終わると、唇をまくりあげて立派な歯を見せた。それが笑っているように見える。嬉《うれ》しくて笑っているのか、誰かを馬鹿にして笑っているのか判断に迷う中間の笑いだった。「面白い表情だろう。歯についた物を取り除くために笑うんだよ。だから歯にくっつきやすい物を与えて、ロバが食べ終わって笑う寸前に声をかける。たとえば」と言って、教授は何か塗ったにんじんをプラテーロに与えて、「君、まさか人間を笑っているんじゃないだろうね」という質問をした。プラテーロは質問に答えるタイミングでにっと笑った。「こういう小さな動作を組み合わせて行って、芝居を作るんだ。」「そういうトリックだったんですね。」「飴《あめ》と鞭《むち》で人を動かすのは政府。わたしたちは頭を使って動物を動かすんだよ。」教授はそう言ってプラテーロと同じように上唇をまくり上げて笑った。

「芸とは必ずしも無理をすることではない。一番楽で自然なことをしながら、観客には魔法のように見えるのが好ましいのだ。」その時プラテーロがうなずいたように見えたが、それは光のいたずらだった。プラテーロの長いまつげの奥で光る目は穏やかすぎて不気味なくらいだった。

草食動物は決して腹をたてることがないのだろうか。仲間と喧嘩《けんか》することもないのだろうか。人間もベジタリアンになったら性格が変わるんだろうか。

初日が目の前に迫っていたので、稽古は、途中をはしょり、いつも前を見て立ち止まらずに、息を継ぐ間もなく続けられた。プラテーロ自身は基本的な芸はすでに習得しているので、実際はわたしが教授と入れ替わる稽古をしたと言った方がいいのかもしれないが、それだけでも大変だった。

数字の書かれた大きなカードが並んでいる。「二かける二は」とわたしが訊くと、プラテーロは四と書かれたカードのところへ行く。そのカードにはにんじんエキスが塗ってあり、他のカードには塗ってないというだけの簡単なトリックだったが、いくらにんじんのエキスが塗ってあってもロバが必ずそこへ行くようにするには、練習が必要だった。「にんじんのにおいがすると分かっていても、ご褒美《ほうび》がもらえると分かっていても、別の方向へ行ってしまうことがある。人間だって同じだろう。基本的にはもう稽古は終わっていても、失敗する可能性は少し残っている。十回のうち一回はどうしても失敗してしまう芸を見せる芸人が、舞台でだけは絶対に失敗しないようにするにはどうすればいいか、わかるか。」わたしは首を横に振った。教授は、「ある精神状態に入れば、絶対に失敗しない」と言う。その状態に入った人間は春の湖畔で昼寝している時のようにくつろいでいて、何の心配事もないが、頭の中は澄み切って、身体全体が触角になって研ぎ澄まされている。出口は全部開いているので、必要な瞬間には力を入れなくても力がいくらでも流れ出してくる。「そんな状態に本番で自分を持って行けば絶対に失敗しないよ。」

ロバはわたしが「二かける二は」と訊くと、必ず四のところへ行くようになった。団長が練習のようすを見に来たのでわたしは得意になってロバの耳を撫《な》でて「二かける二は」と訊いた。ところがロバはその場に立ち止まったまま全く動こうとしない。教授は無表情で隅に置かれた木の腰掛けにすわっているだけで、助けてくれない。あせって質問を繰り返し耳を撫でても、ロバは頑固に動かない。団長は溜息をついて無言でその場を去っていった。わたしは泣きたい気持ちだった。しばらくしてから教授が何気なく「さっき耳を撫でただろう。プラテーロはもっと撫で続けてほしかったから君の側を離れなかったんだよ。にんじんではなくて君を選んだんだ」と言った。「どうしてすぐそれを言ってくれなかったんですか。」「そんな義務がわたしにあるかね。わたしは楽しむためにここに来ているだけだからね。若い人が苦労するのを見るのはとても楽しい。」「ひどいですね。」「舞台で意味もなく動物を撫でたりしたらいけないよ。サーカスでは、どんな小さな仕草も記号として読まれてしまう。舞台ではくしゃみをしても、鼻をかいてもいけないよ。」

がっかりしたり喜んだりしている暇はなかった。今度は観客が出した計算問題に答えて正しいカードのところへ行かせる芸を教える。ロバは目の前にわたしが立つと静止し、斜め後ろの左側に立つと斜め左に歩いていく。斜め後ろの右に立つと、斜め右に歩いて行く。この習性を間違えずに使えば、好きなところへロバを連れて行くことができるはずだった。

耳をさわると首を水平に振り、胸をさわると首を縦に振る癖を使って、はい、いいえ、で答えられる質問に答える練習もした。毎日、朝から晩まで稽古していて、久しぶりで敷地内を散歩してみると、会う人の顔がみんなロバの顔に見えてきた。誰かが耳の後ろを掻《か》いたりすると、ついそちらに目がいって、いっしょに掻いてやりたくなり、それから、むやみに撫でてはいけないと反省したりした。

教授は毎日稽古が終わるとすぐにプラテーロを連れて自宅に帰っていったが、一度だけ練習が終わってから「少し話をしよう」と言ってくれたことがあった。「プラテーロも僕ももう歳《とし》だから、そのうちこの世からいなくなるかもしれない。」死の話をしようとしているにしては声が明るかった。「もしも僕もプラテーロも死んでしまってその後、新しいロバが来たらどうする？　たとえそうなっても一人で一から訓練できるように秘伝を授けてやろう。これまで誰にも教えてやったことがない。これはまぎれもなく遺産相続だ。君は親がサーカスの人間ではないから、とても不利なんだ。そのことは分かっているね。」わたしはかたくなに頷《うなず》かなかった。「まあよかろう。自分が不利だと認めない気の強さがあれば、途中でくじけることもあるまい。」

ロバの芸でデビューしたのは、二十六歳の誕生日を迎えて間もない頃だった。地味な動物と地味な芸をして華々しい成功を収めた。

「そうか、計算ごっこか。やってみようか。トスカには案外数学の才能があるかもしれない」と言って、マンフレッドは早速数字を書いたカードを作り始めた。紙がないので、カードと言っても近所の廃墟《はいきょ》からいつだったか盗んできておいたベニヤ板だった。1から7までカードを作って一枚だけ裏に蜂蜜《はちみつ》を塗って並べると、トスカはにおいを嗅《か》ぎながらそのカードのところへ行ってなめた。「鼻を上に突きだして、いかにもにおいを嗅いでいますって感じ。これじゃあトリックが見抜けない方が可笑《おか》しいわ。それに熊が計算するっていうところにどうも説得力がない。どうしてロバだとそれらしく見えるのかしら。」「それはロバが字を読む話があるからじゃないか。あれはロバの鳴き声を使ったトリックだったね。」「ロバと言えば愚か者のたとえになっているから、そのロバが字を読んだり計算したりすることに面白みが出るんじゃないかしら。比喩《ひゆ》の正反対を舞台でやればいいのかも。」「ホッキョクグマと言うと何だろう。」「氷。」「氷の反対は？」「火。」

火の輪をくぐる芸は猛獣ショーの定番で、いつかは避けられないことは分かっていたが、わたしも夫も気がすすまなかった。「雪娘」の話をミュージカルに仕立ててトスカが主役を演じるならいいけれど、ただ火をくぐらせるなんて平凡だし、火の車はサーカスの財政だけで充分。しかしパンコフはわたしたちに聞きもしないで、秘書に倉庫から火の輪を出してくるようにすでに指示していたようで、翌日はちゃんと練習場の隅に道具一式が揃《そろ》えてあった。わたしはそんなものは目に入らない振りをして、トスカといっしょに並んで歩いたり、向かい合って手を取り合ったりする練習をしていた。

日が暮れてベッドにもぐり込むと眠りの訪れとともに、わたしは日々進化していく氷の世界を訪れることができる。そこには赤字も黒字も産業もない。病院も学校もない。生き物と生き物の間で日々交わされる言葉があるだけだ。「あなたの伝記を書き始めたの」と言うと、トスカは驚いたようにくしゃみをした。「寒いの？」「冗談でしょう。無いはずの花粉が北極にも飛び交うようになって、くしゃみが出て仕方ないの。花が咲かない世界に花粉が溢《あふ》れているのは嫌な感じ。」「あなたが生まれた時のことを書いていたの。目の開く前のこと。でも、そこには母親と子供だけではなくて、第三の影があった。」「父は家族といっしょに家にいたかったみたい。でも母はそれを疎《うと》ましく思って、父があまり近くに来ると、怖い声を出して追い返していた。」「それは熊なら普通なんじゃない？」「でも時代とともに自然も変化していくのよ。」

クママの声は怖い。自分に危害が加わらないことは分かっているけれど、怖い。人間も怖い声で吠《ほ》えることがある。単語の連なりになってはいても実際は吠える声が立ち上がってきて、聞く方も言語ではなく吠え声を聞いて、吠え返す。吠え合う仲になってしまった夫婦はもう会話をかわすことはなく、片方が吠えるともう一方が吠え返すというパターンができてしまう。わたしはふいに思い出した。父がベルリンに行ってしまった頃のことを。わたしは母が吠えそうになると、まだ吠え声にはなっていない声の微妙なトゲを幼子の直感で感じ取って、わあわあ泣いて、自分の方に注意を向けさせた。母はわたしをあやそうとして父の存在を忘れた。しかしそのうちに、父がまた神経を刺すような声で何か言ったので、母はそちらをきっと睨《にら》んで、声をひっくりかえして何か言った。すると父は、食卓をひっくり返すように吠えた。

でも、この記憶が正しいかどうか自信がない。物心ついてからの母はわたしと二人暮らしで、父の話はしなかった。母は朝早く仕事に出て午後わたしが学校から帰る前には家に帰っていた。大変な美人でありながら朝は目がつりあがっていて、午後の顔は頰《ほお》が垂れ気味で、その顔をもっとよく観《み》たいと思うのだが、母はすぐに背中を向けて家の仕事を始め、顔を見せてくれなかった。その背中には、毒蜘蛛《どくぐも》のように鮮やかな模様がプリントされていて、その模様が母の手の動きに合わせて滑らかで冷たいポリエステルの表面で揺れていた。わたしは、わたしのことばかり書いている。「あなたのお父さんは何を誇りにしていたの？」と訊《き》いてみる。「父はキルケゴールと同国人で、そのことを誇りに思っていたの。母は笑って、小さい国は同国人が少なくていいわね、あたしなんか同国の偉い人を全部誇りに思っていたらご飯を食べている暇もないわって言って笑ってた。」「意地悪ね。」「母は頭が良すぎて退屈していたのだと思う。だから亡命したり、自伝を書いたりしていた。それに比べて、わたしは自伝を書く能力さえなくて、いつも人間に頼りっきりで。」「頼るのも能力のうちでしょう。わたしが書いてあげるから任せておいて。」

頭の中に霧がかかったようになっていて、どちらへ進んだらいいのか分からない。「どうしたの？」それはトスカの声ではない。母の声でもない。「他に好きな人でもできたの？」やっと目を開けることができた。そこにはいかにも冗談を言っているという夫の表情があったが、わたしが答えられないでいると不安そうな顔に変わった。「一体誰だろうね、浮気の相手は。忙しくて誰にも会っている暇ないはずなのに。ひょっとして内部者かな。」「変なこと言ってないで、早く練習に入りましょう。」「だから新しいアイデアの話をしているのに、上の空で全然聞いてないじゃないか。」「子供の頃のことを思い出していたのよ。」「またかい。それよりちょっとその辺を散歩でもしないか。」「歩けば頭がすっきりするかもね。」

正門の方向へ歩いて行くと、途中パンコフに会った。わたしたちがよほど疲れて見えたのか、パンコフは柄にもなく優しい声で、「トスカはすばらしく舞台映えのする女優だからきっといい舞台になるね」と言った。夫は後で、「パンコフは何であんなきつい皮肉を言うんだろう」と顔をしかめた。「僕はまた図書館に行ってくる。サーカスにいると何もアイデアが浮かばないんだ。なんだか閉じ込められているみたいで。自分がずっとサーカスの内側で生きていたことがだんだん不思議に思えてきたよ。」

夫の姿が消えると、わたしは一人トスカの檻《おり》の前に行ってあぐらをかいた。サーカスに閉じ込められているという感覚は分からない。サーカスには何でもある。子供時代も、死んだ人も、親友も、サーカスにいればみんな蘇《よみがえ》ってくる。

わたしが座禅でも組んでいるようにじっとしているので、トスカは退屈したのかごろんとあおむけになって、足の爪《つめ》をいじり始めた。熱い呼吸を項《うなじ》に感じて振り返るとホーニッヒベルグが立っていた。「君一人なの？」「見れば分かるでしょう、二人よ。あなたを勘定に入れれば三人。」「マンフレッドはまたどこかに逃げているのか。君はいつも一人だね。寂しくないの？」「そんなに近づかないで。靴がどろどろに汚れているわよ。一体どこへ行って来たの？」「行ってはいけないところへ行っていたのさ」と言ってホーニッヒベルグはにやにやしていた。

サーカスの敷地のまわりはひどいぬかるみで、家に帰ってから靴を見ると、汚れが地図のようにこびりついていたのを覚えている。それが踏みつぶされた蛾《が》の形に見えて怖くて、オオバコの葉で拭《ふ》いて取ろうとしたがだめだった。泥には独特のねばりがあって臭くて、もしかしたら肉食動物の糞《ふん》が混ざっているかもしれない。絵本に出てくるサーカスには象やライオンがつきもので、家から歩いて行かれるところに象やライオンがいると思うと、子供心にそれだけで興奮してきて、靴の泥を落とすのがもったいなくなって、ベランダの隅にそのまま隠した。母は毎朝五時のバスに乗り遅れてはならないので、四時には起きて、夜は九時前に寝てしまう。わたしは母の寝息がゆっくりと規則正しいことを確かめてから、夜、こっそりベランダに出てバケツの陰に隠して置いた靴を見ると、こびりついた泥が皮全体を黄色くばりばりした化石に変質させていた。履けないことはなかったが、少し足踏みしただけでも踝《くるぶし》をヤスリでこすられるように痛いので、ガニ股《また》になってしまう。自分はもしかしたら図鑑でしか知らないあのイグアナに似ているのかも知れない。冷たい血を持った爬虫類《はちゅうるい》や昆虫はきらいだった。仕方なく靴を脱いで、ついでに下着も脱いだ。すると、腿《もも》にもお腹にもびっしりと白い毛が生えていた。月が煤《すす》のような雲の裏から姿を現し、裸の下半身を明るく照らし出した。

いつの間にかうたたねしてしまったようで、目が覚めるとトスカは自分の右腕を枕《まくら》にしてまるくなって眠っていて、まるでその鏡像のように同じ格好をしてわたしも檻の前で横になっていた。スカートの裾《すそ》が淫《みだ》らに乱れて、太腿が剝《む》き出しになっていることに気付いて直し、髪の毛を手櫛《てぐし》で直したところに、図書館から帰った夫が颯爽《さっそう》とした足取りで近づいてきた。「寝ていたのか？」「そうみたい。」「誰か、いたのか。」「誰かって？」わたしのスカートの裾のところに大きな足跡がついていた。誰か泥のついた靴で立っていたらしかった。

その翌週は本当に大きなニュースが続いた。まず、ホーニッヒベルグが白熊組合に入りたいと言い出した。組合には人種差別によって入会を拒絶することを堅く禁止する決まりがあるので、組合は怪しげなホモサピエンスの入会を許可するしかなかった。ホーニッヒベルグは組合に入った翌日にはもう他の組合員の理解を超えた行動に出た。サーカスを株式会社にしようと言い出したのだ。もちろん内輪だけの秘密で、公式の会計は国家が相手だから別のシナリオで辻褄《つじつま》の合うようごまかして、内部で市場経済を動かすというのだ。株の投資があれば、今の予算では買えない道具なども買える。道具を買って見栄《みば》えのする舞台を作れば、観客は増え、儲《もう》けが増える。特に次の公演は前代未聞のものになること間違いなしで、どっと流れ込んでくる利潤を全部役人に取り上げられるのは耐えられない。彼らはどうせ自分たちだけ料亭に行って毎日キャビアを食べてウォッカの風呂に入り、せっかく儲かったお金を湯水のように使ってしまうに違いない。そんなことなら、湯水が流れる前にそれを凍らせて、次の舞台に投資した方が良い。もちろん投資だけでなく、株を買った個々人が配当金でトランジスターラジオや蜂蜜を買うこともできる。それを聞いて白熊たちは大喜び、パンコフもどういうわけかすぐにこの危ない提案を許可し、白熊たちは早速株を買い占めた。「一体あいつは何を考えているんだろう。」夫はわたしと二人だけになると、必ずホーニッヒベルグのことを話したがった。わたしが取り合わないと、ますますムキになって「君はどう思うんだ」としつこく問い詰める。わたしはそのうち台所の隅に追い詰められたねずみのように、「そんなに若造が気になるのはどうして？　自分に精気がなくなったからなの」と噛《か》みついた。夫はそれを聞いて血走った目をそれみたことかと言うように光らせて、「やっぱりそうなんだな。どうして若造に精力のあることが分かる？　君があいつと寝ているのは分かっているんだ」と言い出した。「寝るって、いつ寝るのよ。一日中わたしの側《そば》にいるくせに。」「穴のような時間がどこかにあいているのを感じるんだ。その穴の中で君はこっそり誰かと会っている。」夫はこの時すでに壊れ始めていたのかもしれない。

正直言うとわたし自身、恋しているような感覚がなかったわけではないが、相手がホーニッヒベルグでないことだけは確かだった。隠しているわけではなくて、誰に恋しているのか本当に自分でも分からなかった。子供の頃、近所に滞在していたサーカスにこっそり通い始めた頃も、自分がサーカスに恋していることに気がつかなかった。通っていることを母に隠し続けたのは靴が汚れるからもう行くなと言われたくないからだった。わたしは学校で友達ができないことも、先生に理数系の才能があると言われたことも母に黙っていた。「どうして何もかも隠していたの?」「さあ、分からない。それが子供の本能なんじゃないかな。でも大きくなれば、何もかも話したくなる相手が必ず見つかる。」

サーカスのことはやがてどういうわけか母にばれてしまい、靴が汚れるからと叱《しか》られるかと思えば、そうではなくて、「サーカスは券を買って表門から入るものであって、舞台裏に近づいてはいけない」と叱られた。

それまで聞いたことがない「舞台裏」というのはどういう場所なのか気になり始めた。母が行ってはいけないと言うのだから、よほど面白い場所であるに違いない。早速その日学校が引けるとサーカスに行こうと思ったが、行けば靴が汚れてばれてしまう。どうしようかと知恵を絞った結果、靴を脱いで草むらに隠し、裸足《はだし》でサーカスの敷地に近づくことにした。裸足でぬかるみを歩いて行くと地下に住む妖怪《ようかい》に足の裏を大きな舌でなめられそうで不安で面白かった。動物のにおいがした。鼻を道案内にして、無数の白いワゴンの間にできた迷路を入って行くと、馬の顔がぬっと目の前に現れた。馬はまばたき一つしないで、こちらを見ていた。長い睫《まつげ》が馬の眼をやさしく見せる。むせるほど甘いにおいが地面から立ちのぼってきて胸がしめつけられ心臓の鼓動が高まっていった。ひょっとしたら、これは一種の性的な興奮だったかもしれない。その時、馬の耳がぴくぴくっと動き、足音が聞こえた。

後ろから軽く背中を押されて振り返ると、白塗りの化粧をしたピエロが立っていた。化粧してから時間がたっているようで目のまわりのおしろいがひび割れて目尻《めじり》の皺《しわ》が強調され、星形の涙が薄汚れて見えた。そのピエロが男か女か分からないというだけで挨拶《あいさつ》の言葉も思いつかず、謝るように頭を軽くさげて、その場を速歩で去った。生涯、何人ものピエロと出逢《であ》ったが、これがわたしの初めてのピエロだった。

翌日またサーカスに忍び込み、馬のところへ行って鼻の穴の大きさにすっかり感心して見入っていると、唇に人差し指を当ててピエロが及び腰で近づいてきた。昨日と違って目のまわりだけ化粧していて、唇は薄く、髭《ひげ》の剃《そ》りあとが青く光っている。今日は怖がられないようにと気を遣っているようなので、こちらも身のこわばるようなこわい気持ちを抑えてそのままじっと動かないで待っていると、すぐ脇《わき》まで来て、

「馬は好きかい」と訊いた。うなずくと手招きして、隣のワゴンに連れて行ってくれた。

干し草の甘いにおいが鼻をくすぐり肺を一杯にした。「こうやって刻んで、馬の餌《えさ》にしてやるんだ」と言って、干し草を一抱え、大きなまな板の上にどっさり乗せると、錆《さ》びかかった包丁で、とんとんリズミカルに叩《たた》き切り、バケツに放り込んで、馬たちのところに持って行った。「どうだ、馬の餌係になりたいか？　あしたも同じ時間に来たらやらせてやるよ。」

わたしは馬に餌をやる係として毎日学校が終わると張り切ってサーカスに通うことになった。そのうち馬に餌をやるだけでなく、馬の毛を梳《す》いたり、糞を集めて肥溜《こえだ》めに運んでいく仕事までさせてもらえるようになった。

こちらが子供の細腕でせっせと馬の世話をしている間、ピエロは椅子《いす》の背もたれの上で片手で逆立ちしたり、玉乗りをしたりして芸を磨いていた。自分はだまされて働かされているだけかもしれない。それでもかまわない。わたしにはわたしなりの経済理論があって、馬に触れるだけで、すべての赤字が純粋利益に変貌《へんぼう》していった。

他の団員たちもそのうち挨拶してくれるようになったので、こちらは裏口入学ではあったものの正式に団員にでもなったような気分で、学校にいるよりサーカスにいる方が居心地がよくなってきた。「ところで君の名前は何と言うの？」とピエロに訊かれたのはだいぶたってからのことで、それまでは「そこの君」と呼ばれていた。ピエロにとっては名前なんてどうでもよかったのか、それとも名前を知ってしまうと責任が出てくると思って避けていたのか分からない。「ウルズラ」と答えると、「それはいい名前だ。ウルズラというのは、ラテン語から来た名前で、小さな牝熊《めすぐま》という意味だよ」と教えてくれた。

家に帰って母にその話をすると母は顔をしかめた。「またそんな嘘《うそ》っぱちを信じて。わたしがあなたに動物を意味する名前をつけると思う？　一体誰がそんなことを言うの」と問い詰められて、やっぱりサーカスに通い始めてしまったことを話してしまった。母は薄々感づいていたようで特に驚いた顔も見せずに、日が暮れるまでに絶対家に帰るならとあっさり許してくれた。

一番心が躍るのは、馬の毛を梳《くしけず》っている時だった。馬の肌は汗ばんでいてもどこか乾いていて、頼りになる堅さの中にも肉の暖か味がある。快楽が手首の真ん中を通って、鯉《こい》のように身体《からだ》の中を泳ぎ登ってくることさえあった。「子供の頃はわたしが小さくて馬が大きかったから動物をいつも見上げていたけれど、それは今も変わらないわね。」トスカの真っ黒な瞳《ひとみ》二つと鼻が、雪景色の中に浮かび上がって見える。三つの黒い点を結べば三角形になる。白い身体は雪の中では保護色になっていて全く見えないけれども、三つの黒い点がトスカだということは分かるので、その方向に向かって話す。「でも子供の頃のことを思い出しても意味ないわよね。」「子供の頃のことではなくて、子供になる前のことを思い出さなければだめだって母が言ってた。」「あなたのおかあさんの書いた自伝、読みたい。」「絶版なの。北極ではすべての書物が絶版なの。印刷機も氷で作られていて、それが溶けてしまったから。」トスカは寂しそうに立ち上がって、向こうに歩いて行ってしまおうとする。胸が薄いので、優雅な首がより長く、前足が短めに見える。「待って。」

「どうしたの、君、またうわごとなんか言って。」夫が不思議そうにこちらを見ている。夫は多分、嫉妬《しっと》妄想から来る自分の神経衰弱を隠すために、わたしがうわごとを言ったり妄想に襲われたりすることがあると、まわりの人にも言いふらしているのだろう。パンコフまでがいつの間にかそこに来ていて心配そうな顔をして、「君、火を使った芸はやりたくないそうだが、まさか舞台にかける情熱の火が燃え尽きたわけじゃなかろうね」と言うので、「嫉妬で燃え尽きそうなのは夫の方です。どうにかしてください。わたしは熱くて耐えられないので、いつも雪の中に逃げ込むんです。雪の中ではね、三つの黒い点が見えただけでそれがトスカの目鼻だってわかります」と答えると、パンコフは大声で笑った。「夜に三つの点が光って見えたらそれは電車が近づいてくるということだ。まさか鉄道自殺をするつもりじゃなかろうね。とにかくよく休むように。」

夫の嫉妬は根拠もなく増幅していった。わたしとトスカがお辞儀の練習をしているところにホーニッヒベルグが入ってくると、「色目を使った」と言って、わたしの肩を押した。するとトスカが危険なうなり声をあげ、ホーニッヒベルグがあおざめた。夫は平気でわたしを突き飛ばそうとした。「やめなさい」とホーニッヒベルグが低い声でとめながら夫の腕をつかんで隅に引っ張っていった。「何だ、君は暴力を使って。」「熊がいらだっていて危険です。分からないんですか。」

ある日、わたしたち三人はパンコフの部屋に呼ばれた。叱られるのかと思ったら、そうではなかった。「来月クレムリンから公式訪問があるという噂《うわさ》がある。できればその前に初日を迎えて、失敗がないと分かってから大切な客が来てくれた方がありがたい。生《い》け贄《にえ》の儀式ではないから、ロシア人たちの前でウルズラが熊に食われるのを見せても喜ばれないだろうから」と言うパンコフの顔は深刻だったが、ホーニッヒベルグは余裕のある笑いを頬に浮かべて言った。「ご心配なく。練習はもう完了しています。ウルズラとトスカは本物の友情を結びました。二人がごく普通に舞台に登場してお辞儀する。それから一つの袋からいっしょにビスケットを食べ、一つのポットから二つのコップにミルクを入れて飲む。それからウルズラがトスカに流行の帽子をかぶせ、チョッキを着せて、二人で鏡に向かう。典型的な女友達ですよ。それだけで充分です。本当の友情というのは、そのように非ドラマチックでも、感動的なものなのです。」「友情は確かにいいものかもしれん。しかしショーとして地味すぎるだろう。」「ご心配いりません。あとの九頭が後ろの太鼓橋に乗って並んでいれば、それだけで迫力あります。一頭五百キロの体重ですから全部で四千五百キロです。小さなウルズラが鞭《むち》一本であの日本の何と言ったかスモウですか、そうそう、スモウ・レスラー二十人以上に相当する重さの猛獣を意のままにしているように見えるのです。圧巻でしょう。」ホーニッヒベルグはいつの間にか居候《いそうろう》の家出人ではなくてパンコフ代理のように威張って、わたしたちを見下ろしていた。ホーニッヒベルグはわたしたちよりずっと背が高かったが、その時夫はこのまま黙って聞いていられないと思ったのか、ぐっと背伸びして顎《あご》を突き出し、普段より大きめの声で言い返した。「ちょっと待て。九頭の白熊が背後に並ぶってどういうことだ？　ストはどうなったんだ？」ホーニッヒベルグは落ち着きを崩さなかった。「彼らも明日から練習に参加することに同意しました。ストは終わりました。」「要求全部受け入れたんですか？」みんなの視線が自分に集まったことに気がついてパンコフは黙ってうつむいた。ホーニッヒベルグは、ますます得意になって言った。「いや、そうではない。その必要さえなくなった。株を持っていたら純粋な雇用関係ではなくなる。君たちも資本家なのだ、だからストをやる権利はない、と言ってやったんです。」

夫は不愉快そうにホーニッヒベルグのジーパンに包まれた細い腰を睨《にら》んで、「君は心の純粋な動物を卑怯《ひきょう》な猿知恵でだましたな。人間の恥だ」と言った。夫の肩のあたりにエリマキトカゲの襟のように殺意が立っているのが見えたので、わたしは夫の肩に手をかけて撫《な》でるようにしてその殺意を払いのけた。夫はわたしの手を振り払って今度はこちらを睨んで、「こいつの肩を持つのか」と言った。わたしはもう一度夫の肩に手を置いたが、殺気を感じて思わず手を離した。ここまで緊迫してしまったらむしろ話をはっきりさせた方がいいと思って、「あなた、わたしたちに性関係があると思って嫉妬しているらしいけれど、それは根も葉もない妄想よ」と言ってやった。すると夫もホーニッヒベルグもそんな話は初めて聞くというように驚いて同時に「何だって」と叫び、パンコフは溜息《ためいき》をついて、「ウルズラはやっぱり病気だ。早く病院で診てもらいなさい」と言い残してその場を去った。

精神科の医者に診てもらうのは初めてではない。義務教育が終わって、上の学校に進まないことになり、家政婦の職につくことに決まった頃、わたしは金持ちのお尻の妄想に悩まされ始め、医者に行った。馬の糞《ふん》をちりとりで取って土に埋める作業は苦にならなかったが、金持ちが汗ばんだ大きなお尻を剝《む》き出しにしてすわったトイレをきれいにするのだと想像するとぞっとして、道を歩いていても、そのお尻が後を追いかけてくる。足を速めても、人混みに飛び込んで身を隠しても、どこまでも追ってくる。母にそう話すと、考えすぎだと言う。「そこにないものを思い浮かべてもしかたがないから、そこにあるもののことをまず考えなさい。」そこにないものって何だろう。

母は初めからわたしを家政婦にしようと考えたわけではない。学者になっていれば、そこにないもののことを考え続けて暮らすことだってできたはずだ。成績がいいので担任の先生に進学してみたらと言われたのに、わたしはきっぱり断ってしまった。母は担任の先生からその話を聞いてひどく落胆し、台所のテーブルに頰杖《ほおづえ》ついてお茶を入れたまま石になってしまった。母の両目はざっくり沈んで、肌の色がくすんでしまった。当時娘に高等教育を受けさせようと考える母親はあまりいなかったと思う。なぜわたしは大学に行くのがそんなに嫌だったのか、どうしても思い出せない。本当はひそかに馬について書かれた本を読んで動物学者になることを夢見たり、シートン動物記を読んで作家になりたいと思ったりもしていたのだ。「どうして今更、進学しなかったことを後悔しているの？」とトスカがふいに訊いた。「あなたの大学はサーカスでしょう。」そう言われればそうだった。だからこれでよかったのだ。わたしはどこにいても何をしていても金持ちの大きなお尻が追っかけてくるので気が休まることがなく、医者に行くことになったが、医者には、「神経衰弱だから休めば治る」と軽くあしらわれ、薬をもらって帰った。

ところが、医者が薬を間違えたのか、わたしの体質が変調的なのか、その薬を飲んだ途端、何が何でもサーカスで働きたくなって母と激しい口喧嘩《くちげんか》になり、そのまま家を飛び出してしまった。それでよかったのだろう。喧嘩熱を燃料にして、サーカスまで走って行った。もう夕方だったので団員たちは輪になってビールを飲んでいて、わたしを見るとすぐに輪の中に入れてくれたが、わたしが「団員にしてほしい」と申し出ると一斉に困った顔をした。泣き出しそうになっているわたしの肩を叩いて、髭を伸ばした老人が言った。「サーカスで生まれ育った人間には当たり前に思える生活形態も、工場労働者の子供が見たら、理解できないことや我慢できないことばかりだ。

もちろんサーカスで生き延びる知恵のようなものはある。でもそれは本では勉強できない。だから普通の市民は、サーカスの団員にはなれない。ライオンが虎《とら》になれないのと同じだ。あんたは町で仕事を探した方がいい。」わたしがわっと泣き出すと、コネリアという名の綱渡りをしていた女性が立ち上がって、「この子を町に連れて行って、アンダースさんに仕事がないか訊いてみます」と言い出した。アンダースさんというのはサーカスの熱狂的なファンの一人で、電報局で課長をしているという話だった。ひどく脚の速いコネリアに必死で追いすがって、そのままアンダース氏のアパートへ向かった。

コネリアがベルを鳴らすと中から嗅《か》ぎ慣れないにおいといっしょに恰幅《かっぷく》の良い男が出てきて、わたしたちの顔を見ると目を細めて喜び、中に招き入れてくれた。金持ちの家に入るのは初めてで、革張りのソファーや金属で細工の施されたブナの箪笥《たんす》に囲まれて、わたしはこちこちになっていた。銀の食器に冷えたビーフとパンと果物が油絵のように盛られていた。コネリアは微笑《ほほえ》みを崩さないまま、お手玉のようにたくみに言葉を投げたり受けたりしながら、こちらにも時々目配せを送った。相手の男はうまく操られているようで、最後にはどこの馬の骨とも分からない少女に職を与えることを簡単に承知してくれた。

そんなわけで、わたしはサーカスには入れなかったが、もう金持ちの尻に追いかけられることもなくなった。わたしが電報局で働くことに決まったと聞いた母は大喜びだった。電報局に勤めればわたしは「国家公務員」だと母は信じて疑わなかった。そして国家公務員というのはサーカス団員とは正反対の堅い職種ということになるのだろうが、ずっと後になってサーカスまでもが国営になった時代には、わたしのような猛獣使いも綱渡りもピエロもみんな国家公務員になったのだった。

「あなたの話を書く、と約束したのに自分の話ばかり書いてしまったの。ごめんなさい。」「いいのよ。まず自分の話を文字にしてしまえばいいの。そうすれば魂がからっぽになって、熊の入ってくる場所ができるでしょう。」「あなた、わたしの中に入ってくるつもりなの？」「そうよ。」「怖いわね。」わたしたちは声を合わせて笑った。

国家公務員として、自転車をこいで電報を運ぶ毎日が始まった。一ヶ月もすると外から見てすぐ分かるくらい腿《もも》や脹《ふく》ら脛《はぎ》に筋肉がついてきた。そのうち余裕が出てきて、ただ自転車をこいでいるだけでは退屈なので、仕事中、曲乗りの練習の真似事《まねごと》を始めた。

ある時、わたしが自転車に乗りながら逆立ちをする練習をしているのを見かけて、「逆立ちするには特別な自転車を使わないと無理だよ」と声をかけてくれた通行人がいた。どうして知っているんですかと訊こうとすると、もうその姿は消えていたが、自分には観客がいるのだということを初めて肌で感じた。どこで練習していても見ている人が一人でもいればそれは妄想ではなく練習だ。いつか本番がやってくるかもしれない。

ますます張り切って練習に励んだのは良いが、石段を自転車に乗ったまま降りていると、電報局長の親戚《しんせき》がたまたま通りかかってそれを見ていたらしく、後で上役に言いつけられて大目玉を食らった。当時、自転車は貴重品だったので、壊されたら大変だと思ったのだろう。「サーカスじゃないんだぞ」と怒鳴られた時、しばらく忘れていたサーカスのことを思い出した。そうだ、電報局はサーカスではない。自分は本心を言えばサーカスで働きたいのだということを思い出した。

ところがサーカスに戻る暇もなく戦争が始まってしまった。「北極には戦争がなくていいわね。」「でも戦争がないのに鉄砲を持って北極に来る人たちがいるの。その鉄砲で理由もなく生き物を撃って殺す。」「どうして？」「分からない。人間には狩猟本能という本能があるって聞いたことがある。でもその狩猟本能っていうのがよく分からないの。」「昔は生き残るのに必要だったある行動が意味を失ってからも動きだけが残っている、そういうことじゃないかしら。人間って、そういう動きの集まりに過ぎないのかもしれない。生きるために本当に必要な動きはもう分からなくなっていて、記憶の残骸《ざんがい》みたいな身振りばかりが残ってる。」

父は戦時中一度だけ帰ってきた。家の前でうろうろしている男がいて、わたしが「もしや」と思っているとやっぱりそうだった。ついて来いと目で誘われ、河原まで歩いて、そこに腰を下ろした。煙草《たばこ》を持つ指が黄色く染まっていた。「お父さんはみんなに殴られて育った。だから動物を殺す癖がついてしまった。子供の時に猫を押さえてナイフで刺しても自分の心が動揺しないことを確認して安心したものさ。それがだんだんひどくなって、軍馬を殺してしまった。みんなはわたしが戦争に反対するために軍馬を殺したと信じている。」家に帰って母にその話をすると「お父さんが生きているはずないでしょう。そんな話は人にしてはいけないよ」とかえって咎《とが》められた。電報局は機能しなくなっていて、わたしは職を追われ、母のところに戻っていっしょに軍需工場に勤め、家では母の分も炊事や洗濯をした。戦時中の通行人たちの顔つきは厳《いかめ》しく、二人の人間が夜道で顔を合わせればお互いに、相手が殺されるべき存在かどうかをすばやく計るような目つきをした。銃を持った制服の男を見かけると、それが自国の兵隊だと分かっていても、撃たれるのは自分でないと思うだけでなく、他の人が撃たれれば自分は撃たれないのではないかと思った。飢えることを強制され、憎むことを強制され、冬が来るとずるずると飢えと寒さに引き込まれ、いつも地面を睨んでせかせかと歩いていた。栄養不足で肌はひび割れ、目は炎症を起こして、咳《せき》が止まらなかった。母には何度も、「父のことを口にしてはいけない、訊かれたら赤ん坊の時に別れたので何も覚えていないと答えるように」と忠告された。

近所の人たちがこっそり取り交している視線の中にわたしには読めない言語が隠されていた。見えないシールが自分の背中に貼《は》られてしまったら、もう終わりなのだという気がして、いつも後ろを振り返りながら歩いていた。もしもシールを貼られたら自分は連行され、壁に向かって目隠しされて、銃殺される。「何言ってるの。あなたが殺されるはずないでしょう」と言う母の声が聞こえる。でもわたしだって殺されていたかもしれないのだ。誰だって生き残っているのは半分は偶然のようなものではないか。「あなた、まさか地下でこっそり集まるような妙な運動にかかわっているんじゃないでしょうね」と母に訊かれたこともあったが、わたしは政治的には本当に未熟で、レジスタンスのことなど何も知らなかった。

ドレスデンの大空襲では、建物はみんな崩れて、瓦礫《がれき》の山になってしまった。避難所になっていたある工場に母と避難した。夜になると月のあかりがかすかに窓枠に反射していて、みんなの汗のにおいが濃くなった。

道で焦《こ》げた鉄のかたまりを見て、もしかしたら自転車の死体かなと思ったこともある。わたしは町中で煉瓦《れんが》を拾って小銭を稼いだが、その小銭で交換してもらえる食料がなかなか見つからないのだった。そのため郊外の親戚の家に行って住み込みで畑仕事を手伝った記憶もある。その家ではシュテックリューベという今はめったに見かけなくなったカブの一種をたくさん栽培していた。

やがて電報局は再建されたが、管理職は全部入れ替わっていて、頼みに行っても職を得ることはできなかった。わたしは母の昔の知り合いに頼んで、掃除や買い物の手伝いをさせてもらったり、町を埋め尽くした煉瓦をかたづけて町からわずかながら駄賃をもらったりしていた。「どうしてこんなに寂しいんだろう。」氷が青く光る夢の風景の中でわたしはトスカに話しかけていた。「寂しくないでしょう、わたしがいるんだから。」「でも、あなたと会話ができていると信じているのはわたしだけで、もしかしたらそれは思い込みに過ぎないかも知れない。サーカスに入る前には戦争があったのよ。でもサーカスの前の話なんて誰も聞きたがらない。みんなサーカスに入ったきっかけは何ですかってそこから話を始めるの。だからわたしは小さい頃サラサニ・サーカスを手伝った話から始めて、二十四歳で掃除係としてブッシュ・サーカスに入った話に飛ぶの。その間の戦争のことなんか誰も聞きたがらない。誰も聞きたがらない話が穴みたいに口を開けて、そこに自分が飲み込まれて消えていく。」「わたしが聞いているじゃない。」「それはわたし一人の願望妄想かも知れない。どうすればそれが本当にあなただって分かるの？」

どこかで犬の吠《ほ》え声がする。「金持ちは戦火で財産が全部焼けてしまっても、戦後はやっぱり金持ちとして復活するんだ。不思議じゃないか。」トスカの声ではなく、精力に満ちた青年のかすれ声だ。彼の飼っていた犬の名前はフリードリッヒ、わたしが行くとすぐじゃれついてきた。「階級社会は戦争によってなくなるのではなく、戦後しばらくするとますます貧富の差を広げて復活するんだ。だから戦後すぐに革命が必要なんだ。」それはカルルという名前の青年だった。彼には道で声をかけられ、家に遊びに行くところまで親しくなった。

カルルの屋敷はすでに修復がすんでいて、ソファーもベッドも焼けなかったのか、立派で古風なものが並んでいて、本棚に並んでいる本だけが新しかった。真っ赤な背表紙の本が目に入ったので引き出して開けてみると、一行も読まないうちに、後ろから抱きしめられた。栄養不足でやっと膨らみかけたばかりの乳房をカルルは両手で摑《つか》んで大胆に揉《も》み始めた。首をまわそうとすると、カルルは手の位置を素早く下にずらして、ぎゅっとお腹をしめあげて、同時にクリップのように堅い顎《あご》を肩に押しつけた。

「恋に憧《あこが》れてゆっくり恋して、ためらいがちに初めての接吻《せっぷん》を交わすなんていう感じじゃなくてね、青天の霹靂《へきれき》だった。」「それで妊娠すれば自然の思惑通りだったわね。」「大自然って細胞分裂にしか興味がないの？　人間の心なんてどうでもいいのね。一に繁殖、二に繁殖。」「あなたはそれから毎日カルルに会ったの？」「喧嘩したの、すぐに。」「どうして？」「よく覚えていない。フリードリッヒとしゃべっていたら、犬としゃべるなと言われたような気がする。」

それからわたしは高い熱を出し、何日も意識がなかった。母が氷を入れた袋を額に乗せてくれて、医者と話すぼそぼそした声が遠くで聞こえ、それからわたしの意識は一人で遠いところへ旅立った。まぶしい白におおわれた平坦《へいたん》な土地で、目を細めてじっと視線を凝らすと、時に雪兎《ゆきうさぎ》のようなものが跳ねていくのが見えたような気もしたが、そちらへ駆けていくと一歩ごとに光は角度を変えて、前に見えたものを否定していった。

雪の混ざった強い風が吹きつけてきたのに少しも寒くない。地面は堅く凍って曇りガラスのようだった。氷の下をアザラシの親子が泳いでいくのが見えた。

長い旅を終えて、目をさますと、あおくさい元気が身体《からだ》の中で不均衡にはねていた。掛け布団《ぶとん》をはねのけて靴を履き、母がとめるのにそのまま町の中心に向かって走って行った。ふらふらしているのに風が腕を支えてくれるので、ころばない。広告塔が立っていて、花びらのようなポスターが貼ってあったので足をとめた。ブッシュ・サーカスの公演ポスターで、日付を見ると、前の日にちょうど終わったところだった。広告塔の前に誰かの自転車がカギもかけずにとめてあった。その自転車に飛び乗って、むやみやたらにペダルを踏んだ。菜の花が都市郊外の大地をどこまでも覆《おお》っていて、その黄色のまったただ中を、長いワゴンの列がゆっくりと通り過ぎていくのが遠くに見えた。

わたしは激しく呼吸しながら全力で自転車をこいだ。空想の車輪をまわして、幻灯機が脳裏のスクリーンにうつしてくれる情景にむさぼりつくようにしてこいだ。自転車がばらばらになりそうなくらい走ってやっとサーカスに追いついて、最後のワゴンに乗っていた男に窓越しに「みなさん、これからどこへ行くんです」と訊くと、男は「ベルリンだよ」と答えた。「ベルリンで公演するんですか。」「そうだよ。ベルリンは世界一の大都会さ。行ったことあるかい?」ベルリンと聞いて胸がいっぱいになった。このままいっしょに自転車でベルリンまで走って行こうか。空は暗かった。「早く家に帰らないと、夕立に降られるよ。」空を見上げると、ぼつっと大粒の雨粒が目の中に落ちてきた。「ベルリンに連れて行ってください。」「そんな急に無理だよ。次に来

さい。」

気がつくとまた自分のベッドの中で寝ていた。翌朝母に聞いたところによると、わたしは二日前から熱を出して意識がなく、一度も起きていないと言う。「やっぱり医者に行った方がいいんじゃないか。また病気が出てきたのか。この頃、変だ。」そんなことを言うのは母かと思えば夫だった。「そうかしら。どこが変なの。」「話しかけても答えないし、目つきがなんだか変だ。」夫は自分が変なので、わたしが変だと思いたがっている。

あの時に町を去るサーカスを自転車で追いかけて行ったのは夢だということになるが、その翌週広告塔に行ってみるとサーカスのポスターが実際に貼ってあって、しかも最終公演日はわたしがあの夢を見た日の前日だった。心配されると困るので母にはその話はしなかったが、考えてみると子供はできるだけ何も親に話さないまま大人になろうと絶えず努力しているし、親は自分の鼻がなくなっていても子供の前ではマスクをかけて「風邪を引いただけ」と嘘《うそ》をつき続ける。大自然はいったいどういうメリットを考えてそういう本能をわたしたちに授けたのだろう。「犬と話したらだめって言うけど、わたしは虫と話しているわけじゃないのよ。人間だって犬だって同じ哺乳《ほにゅう》類《るい》でしょう。どうして話したらいけないの」とカルルにくってかかったことがあった。カルルは怒って「犬と人間は全然違うよ。犬なんてただの比喩《ひゆ》だ」と怒鳴った。カルルは比喩という言葉がとても好きで、わたしが「サーカスで働きたい」と言った時も、「サーカスなんて比喩に過ぎない。君は本を読まないから何でもすぐに現実だと思ってしまうんだ」と軽蔑《けいべつ》したように言って、バーベリの「騎兵隊」という本を投げてよこした。それからカルルとは会っていないので、その本は返しそびれて、いつまでもわたしの本棚の隅から恨みがましい視線を投げていた。カルルとはそれっきりだったが、サーカスはいつの日か必ず戻ってくると信じていた。

「君は待っているんだね。でも彼はもう戻ってこないよ。」はっと顔を上げると、夫がにやにやしている。「トイレに閉じ込めてやったから、もう出て来られないだろう。」ホーニッヒベルグは本当に閉じ込められてしまったのではないかと心配になって、トイレに飛んでいくと、ちょうどパンコフが満足そうな顔をして出てきたところだった。「どうしたんだ、そんなにあわてて。」ホーニッヒベルグはどこにいるか訊くと、「そこにいるだろう」と向こうの方を指さす。そこで誰かと楽しそうに立ち話している後ろ姿は確かにホーニッヒベルグだった。

夫の神経は本当にすり切れて、切れかかっていて、もし切れたらホーニッヒベルグを殺してしまうのではないかと気が気でなかった。小さい頃、わたしは犬と猫が殺し合うのを必死でとめる悪夢を繰り返し見た。殺意は目に見えない宙に舞い上がり、ひらりと振り返り、お互いを励まし合いながら死に誘う。その踊りに第三者として参加して流れを変えるのがわたしの使命だ。赤ん坊の頃はそんなことばかり考えていた。今の言語で考えていたのではない。その前の言語で考えていた。

生まれた子供を母に預けたまま迎えに行かないのも実は仕事が忙しいからではなくて、夫が人を殺すのを子供に見せたくなかったからだ。夫はホーニッヒベルグではなく、わたしを殺すかもしれない。ひょっとしたら殺されてしまうのは夫の方かも知れない。

この時もしわたしが「ちゃんと考えて」いれば、夫がどのようにして死ぬのか分かったはずだ。でも生きている最中は誰も「ちゃんと考える」時間なんてない。ちゃんと考えれば、壁が崩れてわたしの生活が崩れることだって二十年前に予想できたかもしれない。東独が死んで、夫が死んだ。

ここまで書いて、顔をあげると、パンコフが真新しい分厚いノートを鼻先に突きだした。「プレゼントだ。そのへんの大切な紙を使われては困るからな。」パンコフがプレゼントという単語を使うのは、ホッキョクグマをソ連がプレゼントしてくれたと報告した時以来だった。わたしは礼を言って、ノートをあけて、退屈そうな表情をした灰色の再生紙に書き続けた。

待っていただけのかいがあって、1951年、ブッシュ・サーカス団のポスターが町のあちこちに貼られた。当時はカラー写真入りの雑誌も手に入らず、色彩に乏しい煤《すす》けた日常の中で、サーカスのポスターだけが息苦しいほど色彩に溢《あふ》れていた。ポスターを見ただけでわたしのサーカスは空想の中で幕を開けてしまった。太鼓とトランペットが聞こえ、暗闇《くらやみ》を割って魅惑的なスポットライトが切り抜いた光の筒の中に、竜の鱗《うろこ》をちりばめたような衣装を着た宇宙人たちが次々現れる。彼らは空を飛ぶこともできるし、動物と話をすることもできる。抱えきれないほどの興奮、拍手と歓声で、空中にめりめりヒビが入る。

公演の日まで、あと三日、あと二日、いよいよ明日、今日、あと二時間、一時間、幕が開く。赤林檎《あかりんご》のような鼻を付けた道化が舞台に出てきて、よろよろと舞台を歩き回って転んだり宙返りしたりする。サーカスにはサーカスの真実がある。うまく歩けない人が一番運動神経が優れていて、人を笑わせることのできる人が一番まじめなのだ。自分だって空を飛べるかもしれない。脚のすらっと長い女が、銀をまぶした赤い服を着て出てきて、天井から垂れている綱を昇り始める。白いぴちぴちの衣装に筋肉を包み、黒い胸毛を襟元からはみ出させた男が、両手をひろげて舞台中央に登場する。空中ブランコの揺れを見ていると、気分が変になってきた。催眠術にでもかかったように、ふらふらと席から立ち上がった。後ろの席にすわっていた人が怒って「見えないよ。すわってくれ」と文句を言った。わたしは仕方なくすわった。

空中ブランコの出し物が終わって、バンドの奏《かな》でるタンゴが怪しく変調し、舞台と客席は屏風《びょうぶ》式の格子《こうし》で隔てられた。ライオンが出てきたのを見るとわたしはまた変な気持ちになってふらふらと立ち上がり舞台に直進した。格子に両手でつかまって顔を押しつけると、ライオンがこちらを見た。背後でどよめきが起こった。観客席に待機していた団員の一人がこちらに走ってきた。ライオンはわたしのところへ走ってきて、冷たい鼻先をわたしの鼻に押しつけた。

警察署まで迎えに来てくれた母に「どうしてそんなばかげたことしたの」と訊《き》かれて、「サーカスに入って働きたい」と言うと、母の目は大きく見開かれその日はもう何も言わなかった。よほど怒っているのかと思ったら、「お前が本当にサーカスで働きたがっていることがわたしにもやっと分かった」と言い出したので、今度はわたしの方が驚いた。

サーカスで働けるようにしてくれたのは母だった。「ありがとう。」「お礼なんていいの」と答える母の手がものすごく大きい。「お母さんの手はどうしてそんなに大きいの？」「それはわたしがトスカだから。」当時のサーカスは万人のあこがれの的で、すでに芸ができる人でも入れてもらえないくらいの競争率だと聞いていた。母は知恵を働かせて「うちの子に動物の世話と掃除をさせてほしい。給料はいらない」と言って、わたしをブッシュ・サーカスに売りこんだ。「どうやって入ったかは重要じゃない。一度入ってしまえば誰でも出世のチャンスはある」というのが餞《はなむけ》の言葉だった。

初日にはそれでも形だけ面接があって、事務所になっているワゴンの中で団長と向かい合ってすわらされて葉巻の煙にむせた。子供の頃にサーカスで手伝っていたこと、電報の配達をしながら自転車の曲乗りを練習したことなどを話した。何歳かと年を聞くので二十四歳だと正直に答えると、団長はニヤッと笑って、「そこで待っていなさい」と言い残して、ワゴンを出ていってしまった。

入れ替わり、化粧していなくてもピエロをやっていると分かる顔立ちの男が入って来て馬小屋や物置に案内してくれた。これがヤンだった。「寝泊まりしたいなら子供たちの寝ているワゴンでいっしょに寝てもらって、子供の世話をしてもらうしかないがそれでもいいのか」と訊かれ、うなずくと、子供ワゴンにも連れて行ってくれた。

子供は七人いるそうで、毛布や衣服が散乱していた。

朝は六時に起きて動物の世話と掃除をすます。洗濯したり、子供の世話をしたり、みんなの使い走りをしたりしているうちに一日たってしまう。一日働いて寝床に倒れ込む。夜起きて泣く子もいた。

サーカスではよく子供が生まれ、子供の好きな人、情のあつい人は多かったが、みんな忙しくて世話をしている暇がなく、移動が多い時期には学校に行かせられないこともある。その時は一年滞在の予定があったので、七人の子供たちのうち三人が町の学校に通っていた。

学校から帰ると芸の稽古《けいこ》があり、それが終わると、食堂のテーブルで勉強していた。計算の仕方が分からない子には教えてやった。シラーの物語詩の音読を聞いてやることもあった。「言われなくてもよく勉強するね。勉強好きなの?」とからかうと、「工場労働者の子たちに馬鹿にされるのは嫌だ」と答えた。

サーカスの子供たちは「巡業家の子供のための学習本」という本を使っていたが、これがなかなかよくできていて、どこから始めてどこでやめてもいいようにできている上、科目別にわかれていなくて、その一冊を初めからやっていけば読み書き、計算、地理、歴史など大切なことから順にどんどん勉強できるようになっている。後書きを見るとワイマールに住むあるサーカス研究家が作った教本で、やがて世の中の職業はすべてサーカスのように流動的になるだろう。そういう時代が来た時にこそ、この本の価値が世で認められるものと信じる、などと書いてある。

確かにサーカスの子供たちはたくさんの教科書を持って移動することなどできないし、忙しいのでたくさんの科目を勉強している暇はない。「勉強」という科目が一つあるだけだ。しかも子供は勉強、大人は仕事という分業にはなっていない。子供は勉強と仕事と両方しなければならない。体育はない代わり、みんな歩けるようになれば軽業の練習を始め、音楽という教科もないけれど、誰もが毎日楽器の練習をする。わたしの今持っている知識はほとんどこの時期に子供といっしょに得たものだ。子供たちは服を脱がせて、外でホースの水をかけると、急に小熊のようにきゃあきゃあ騒いで喜んだ。わたしは子供の服をたらいで洗濯して、木の間にロープを張って干す。風が吹くと洗濯物が激しくはためいて飛んでいってしまうこともあった。

ある日、洗濯物を干していると、団長が通りがかった。「君は賢いな。スターになりたいからサーカスに入れてくれと頼み込んでくる若い人は掃いて捨てるほどいる。でも動物の世話をしてくれる人、雑用を引き受けてくれる人、子供の世話をしてくれる人は足りなくて困っていた。自分自身ではなく、サーカス小屋全体を見て、どういうところに労働力が不足しているかに気がついた君は本当に偉い。社長にしたいくらいだ。はっはっは。」誉《ほ》めながらも、相手は無料の労働力がころがりこんできたことを喜んでいるだけかも知れないがそれでもかまわない。わたしは利用されていることは承知の上でよく働いた。

おしゃべりしたくなったら掃除をする。おやつが食べたくなったら洗濯をする。動物の世話をするのが一番楽しみで、初めは馬だけだったが、そのうちに猛獣使いの「マイスター」と呼ばれる男にライオンの世話を任された。

糞《ふん》にもいろいろあって、馬の糞は地に落ちた形のまま乾いたオブジェのようで、そのまま持って行って教会に奉納してもいいくらい厳《おごそ》かだったが、ライオンの糞は、猫の糞の化け物のようなもので、片付ける時に鼻で息をすると気が遠くなり、喉《のど》で息をすると吐き気がした。

餌《えさ》のやりくりも時期によっては大変で、ライオンの餌が充分もらえなかった時のために、ねずみ取りで取ったねずみの肉を保存したり、それに麦のお粥《かゆ》を混ぜたりもした。ライオンの餌が悪いと練習中気が立って危険になる。「僕が食われたら君のせいだよ」と猛獣使いのマイスターに言われる度にひやっとした。

食肉加工工場に行って腐りかけた肉をもらってくることもあった。馬にやる干し草を切っていると、乾いた草だけ食べていても風のように走れることが不思議に思えてくる。もしそうなら、なぜ肉を食べるというような骨の折れる危険な道を選ぶ動物がいるのだろう。作業をしながらそんなことを考えていると「何、考えてるの」と後ろから声をかけられた。ヤンだった。「どうして肉食動物がいるんでしょうね、草だけ食べていた方が普通だと思うんだけれど」と今考えていたことを正直に話すと、「自然の中では充分な草を捜すのだって大変だよ。いつも移動し続けて、一日中食べていないと間に合わない。」「そんな生活が嫌になって、肉食を始めたのが肉食動物なんですか。」「熊だって本当は草食だけれど、でもホッキョクグマを見てごらん。アザラシを捕って食べるしかない。北極には草もほとんど生えていないし、木の実も落ちていないからね。寒さに耐え、冬眠中に何週間も何も食べないで赤ちゃんを産んでお乳をあげ続けるだけの脂肪を蓄えるには、脂《あぶら》っこい肉を食べるしかない。だから草食から肉食になっていったんだと思うよ。アザラシなんてすごく捕まえにくいし、まずいかも知れない。でもそれを食べて、かろうじて生き残ってきた。食べるというのは惨《みじ》めなことなんだ。だから俺は美食家は嫌いだ。食べることの惨めさをごまかして、何か素敵なことでもしているように気取っているから。」

敷地内に夜こっそり穴を掘って糞をうめたり、餌にするためのネズミを干したり、熱を出した子供に薬草を煮出したものを飲ませたりしていると、自分たちの生活が都心の文明生活からも社会主義体制からもこぼれ落ちてしまったように感じられた。終戦は日々遠ざかり、町の郊外には近代的な集合住宅が建ち並び、そのうちテレビが普及するという噂《うわさ》まであった。そんな中でサーカスだけがまわりの世界から隔離されて島を作っていた。

「君はロバのプラテーロとの出し物が大成功してスペインに行ったことはあるんだろう」とマンフレッドは結婚したばかりの頃には何度も羨《うらや》ましそうに言った。「そうよ。でも公演旅行だから、観光はしなかったし、興味もなかった。昼間は練習して夜は公演よ。」「でもレストランでスパゲティとかパエリアとかいうもの食べたんだろう。」「食べないわ。持参したパンとピクルスの缶詰とハンガリーのサラミ食べてた。」

スペインでの興行が成功したことはわたしも肌で感じていたが、中でも地味なロバのショーが新聞で絶讃《ぜっさん》されていることは知らなかった。団長は知っていたけれど、成り上がり者のわたしの鼻が高くなるのを恐れて秘密にしていたのだろう。

ある夜、喉が渇いて目が覚めて外に出ると、洗濯物干し場にある粗末なプラスチックの椅子《いす》に腰掛けて、空中ブランコの女が夕涼みをしていた。他に誰もいないのを確認すると、手招きして隣に座るように言った。「女らしく堂々とした身体《からだ》の線と、金髪に縁取られた真剣であどけない顔が素敵だって、新聞に書いてあったわ。誰のことか分かる?」と言われて、しばらく考えてから赤くなった。「あなたのことよ。あなたのことがスペインの新聞に書いてあったの。ロバの国の人間にロバのショーを見せて誉められるんだからたいしたものよ。あたしは母がキューバの人間だからスペイン語は得意なの。ラテン風の情熱って知ってる?」どうして急にそんなことを言い出すのかと戸惑っていると、「タンゴを教えてあげる。今度はアルゼンチンへ飛んで、タンゴで喝采《かっさい》を浴びるのよ」と誘われた。わたしは腰を抱かれ、彼女が口ずさむタンゴに合わせてステップをならった。

踊っているうちに足がもつれて倒れた。皮を剝《は》がれたピンクの兎《うさぎ》のように、頭から、お尻《しり》から、お腹から、そっと撫《な》でたり揉《も》んだりしているうちに生き返る。こんなこと、ずっとしていてもいいのかしら。「なんだか冷えてきたから中に戻らない?」とわたしが逃げようとすると、「北極みたいに寒いところでも舌はこんなに熱い」というようなことを言われ、ものすごく太い舌が口の中に入ってきた。

空中ブランコの女に時間のとまるような接吻《せっぷん》を教わってからは、もう女性との出逢《であ》いはなかった。でもあの顔を思い出しているうちに何か摑《つか》めそうな気がしてきた。ロバで有名になったわたしを次のシーズンも見たいという観衆の期待に応《こた》えるには次に何をしたらいいものか団長が迷っているのが分かったので、わたしは先手に出て猛獣といっしょに練習したいと言い出した。マイスターはすぐに承知してくれた。猛獣の稽古《けいこ》で大切なのは、意欲的でありながらも、いつもあっさりあきらめることができるということだった。勇気など何の役にもたたない。どんなに練習したくても、豹《ひょう》の顔を見て今日は無理だと分かったら諦《あきら》める。何もしないわけではないが、自分がしたいと思って意気込んで起きてきたその計画をさっと捨てることができるということが大切だ。雪山を登る時と同じで、名誉欲に駆られて無理をすれば命取りになる。怖いと思った日は、どんなに練習したくても檻《おり》に入らない。練習日が減るのでストレスは増えるが、そこで我慢して休む。それを知らない団長は「どうして練習しないんだ。昨日も休み、今日も休みか」などと怒鳴ることもあった。「今日は豹の気がたっているのが分かるんです。昨日はヒグマが癇癪《かんしゃく》を起こしました。」マイスターはそんな時はわたしの肩を持って、団長にその場を去るように手で合図してくれた。

ところがある日、警察が来て、マイスターを連れて行ってしまった。密《ひそ》かに亡命の計画を立てていたらしいと団長が教えてくれた。逮捕される危険を冒してまでも計画する亡命という行為が化け物の名前のように聞こえた。団長は頭を抱えて、「全くどうしたらいいのだ。当局に呼ばれてさんざん絞られたよ。こちらも腹が立って、猛獣使いがいないなら公演中止だと言ったら、新しい子をデビューさせるつもりだったんだろう、と皮肉を言われた。」「それは皮肉ではなくて、真実ですよ。心配しないでください。わたし一人でできますから。」「君はまだ始めたばかりだろう。」「マイスターはわたしが一人でも舞台に立てるように稽古をつけてくれました。次のシーズンには自分はいないかもしれないと言っていました。」団長は驚いて顔を上げしばらく考えていたが、やがて、どうにでもなれという破れかぶれの表情を見せた。

公演は成功した。マイスターの見せていたような難しい芸はできないことが分かっていたので、簡単な芸に絞り、その代わり見栄《みば》えがするようにきらびやかな衣装を作ってもらい、照明を工夫して、幻想的な舞台にした。豹とヒグマとライオンと虎が椅子やベッドなどに行儀良くすわり、窓の外に満月がふるえ、時々ポジションを替え、最後にライオンがお手をするという程度のものだったけれど、途中で必ず一度は虎が雷音で吠《ほ》えるので、みんながひやっとしたところで鞭《むち》を鳴らして黙らせるのが見せ場だった。虎は本当に威嚇《いかく》しているのではなく、その場面で吠えれば肉がもらえるので吠えるだけだった。観客はわたしと虎の間に実際には存在しないはりつめた関係を息をのんで見守り、終わると夕立のような拍手を浴びせかけた。

新聞記者が楽屋に駆け込んできて顔を上気させて、「小柄な若い女性が何頭もの大きな猛獣を意のままにしているのがすごかった」と言った。なるほど人の目にはわたしは「小柄な若い女性」に見えているらしい。当たり前のようでいて、自分では考えてもみなかったことだった。「猛獣を意のままに操る美女」という新聞記事の見出しを見て、わたしは「猛獣」という言葉に大変な違和感を覚えた。わたしは猛獣という言葉があることすら、ずっと忘れていた。

ショーが成功したので、わたしは猛獣グループを解散し、ライオンだけのショーをやりたいと団長に言ってみた。ほんの短い期間だけだが、わたしの願いは実現した。もしあの一枚の写真が残っていなかったら、牝《めす》ライオンたちと過ごしたごく短い平和な時代のことを忘れていたところだった。楽しいことは忘れやすい。誰が撮ったのか、その写真の中では牝ライオン五頭とわたしが、それぞれソファーに横たわったり、椅子の上で居眠りしたりしてくつろいでいる。ライオンの表情は家猫よりも穏やかで、あくせく働くのはご免だ、ゆっくり休んで、気が向いたら芸術にでも手を染めよう、と言いたげな顔をしている。

でもライオンの話はもうやめよう。熊の存在する限り、ライオンなど語るに値しない。ライオンが百獣の王なら、熊は百獣の大統領。ライオンの時代は終わった。ホッキョクグマが十頭並んだその壮絶な光景に比べれば、他の哺乳類《ほにゅうるい》など退屈なものだ。

幕が上がるまであと五分。わたしは嬉《うれ》しくてじっとしていられないのでお尻を右へ左へ動かして何度も座り直す。ピエロがチョッキの位置を何度も直し、監督は震える手で握ったウォッカをラッパ飲みにする。トランペットを何度も握り直す新米楽士の額には早くも大きな汗の粒が浮かんでいる。音楽がはじまり、七色のライトが舞台をなめて通る。マンフレッドはみんなに崇《あが》められる女猛獣使いを妻としていることを誇りに感じているらしく、舞台の袖《そで》でにやにやしていた。今日彼の演じる役柄は無名の助手だ。他の団員たちは、おちついていたり、そわそわしていたり、それぞれだった。考えてみると、わたしは他の団員たちの芸をちゃんと観《み》たことがない。栗鼠《りす》のように枝から枝へ飛び移ったり、猿のように綱を登っていったり、人間にしては上出来な芸なのだろうけれど、あまり関心が持てないままだった。

わたしたちのチームは知恵を出し合い、ごく普通の生活を見せようということになった。椅子にすわり、ベッドに横になり、テーブルの上にある缶をあけてお菓子を食べる。サーカスの意義は、社会主義国家の優位を見せるところにあるとパンコフが言っていたが、殺し合ったりしないで普通に共同生活できると言うこと、これ以上に素晴らしいことはないという結論に達したわたしたちは、そういう平和な日常を舞台で描いて見せることにしたのだ。ところがパンコフは練習を見に来てそんな日常は退屈だ。玉乗りをして、タンゴを踊れと言い出した。パンコフがどうしてもと言い張るのでは仕方がない。そんな簡単な芸ならいつでも見せてあげよう。

わたしとウルズラはパンコフにもマンフレッドにも内緒で筋書きにはないシーンを一つだけ最後に見せることに決めていた。そしてそれを何度も二人だけで夢の中で練習した。ただ、わたしはその夢を見ているのが自分だけなのか、それともウルズラも同じ夢を見ているのか、確信が持てないので不安だった。もしもその夢がわたしだけの見ていた夢だったらどうしよう。そう思うと、舌に浮かぶ甘い味の予感は消えて、ひどく緊張してきた。

いよいよわたしたちの出番が来た。ウルズラはわたしの首に手をかけて並んで舞台に踏み出し、観客はそれだけでもう大喜びして拍手を浴びせかけてきた。わたしは舞台前方に足をのばしてべったりすわった。次に九頭の同僚たちがマンフレッドに急《せ》かされて舞台に登場、運動神経のいい三頭が青い玉の上に乗って足をうまく動かして後退しながらバランスをとった。残りの六頭は脇《わき》の腰掛けの上に次々乗ってそこで待機していた。ウルズラが鞭を鳴らすと玉乗りをしていた三頭は足をちょこちょこ動かしてバランスを取りながら後ろを向いて、真っ白なお尻を観客に向けた。そこでなぜか爆笑が起こり、ウルズラは腰を深く折ってお辞儀した。熊のお尻のどこがおかしいのかわたしは理解に苦しむが、そんなことを気に病んでいる場合ではない。

今度はマンフレッドが袖から運んできた犬橇《いぬぞり》をウルズラが脇の椅子から降りてきた二頭の首に繋《つな》ぎ、上に乗って鞭を鳴らした。二頭はウルズラを乗せた橇を引いて、太鼓橋のまわりを一周した。それも終わると今度は九頭が次々太鼓橋に登って一列に並び、ウルズラの鞭の音を合図に一斉に立ち上がった。バンドがタンゴの演奏を始める。わたしはおもむろに立ち上がってウルズラと向かい合い、タンゴのステップを踏んだ。我ながらうまく踊れたと思う。一通り踊ると角砂糖を一つ食べてウルズラと手をつないでお辞儀、公《おおやけ》の筋書きではそこで退場するはずだった。

わたしは緊張していた。ウルズラが角砂糖をさっと自分の舌に乗せるのが見えた。やっぱりわたしたちは同じ夢を見ていたのだ。わたしは一度前足を下ろして位置をなおしてウルズラの正面に立ち、腰をかがめて首を伸ばし、彼女の口の中にある角砂糖を舌で絡《から》め取った。観客席からどよめきが起こった。

このシーンは、幸い検閲に触れることなく繰り返されることになった。新聞記事の見出しを頂戴《ちょうだい》して、新しく印刷されたポスターには「死の接吻」という触れ込み文句が出た。チケットは連日売り切れで、東西ドイツの他の町からも次々招待が来ただけでなく、驚いたことにアメリカと日本でも「死の接吻」が上演されることになった。

海外公演では予期しなかったトラブルがいくつか起こった。アメリカでは衛生法に引っかかり、接吻のシーンがカットされそうになって、呼び屋が青ざめる事件もあった。ほとんどの人が接吻のシーンが見たくてチケットを買ったのだし、だいたいわたしのことを回虫が多いなどというのは衛生局の言いがかりで、こちらが名誉毀損《きそん》で訴えたいくらいだ。回虫は自分の健康にふさわしい数をそれぞれの動物がお腹に飼っていればいいのであって、他人の回虫の数が多いとか少ないとか言いがかりをつけるのは、人間が自分自身の健康管理の能力を失った証拠である。

呼び屋の親分のジムが言うには、衛生局が悪いのではなく、実はあの接吻シーンを恐れるある過激な宗教団体が衛生局を脅迫したのだと言う。その団体から「熊と性的な関係を持つなどというのは邪教徒である古代ゲルマン民族の考えそうなことだ」とか「サーカスは子供のためにあるのであって、ポルノではない」とか「共産主義圏の退廃文化は、人間の尊厳を傷つけるものだ」などと書かれた手紙が届いた。どこの国にも過激な想像をする人はいるものだが、性的な関係というのはどう考えても大げさである。ポルノは大人の頭の中にしか存在しない。実際に公演に行ってみると、子供たちが目をまるくして口をあいたまま見とれているので愉快だった。日本公演では「日本は蒸し暑いので着ぐるみを着て動いている方々は大変だったと思いますが、子供はとても喜んでいました。ありがとうございました」というような内容の手紙をたくさんもらった。わたしが本物の熊だと言うことが信じられなかったのだ。楽屋に押しかけてきて「脱いでください」などと言う人がいなくて本当に助かった。

ウルズラの写真はアメリカの新聞に大きく出た。西ドイツでの公演もまあまあ成功したが、客の中にはひどく深刻な顔をし続けている大人も多かった。西側諸国での公演が終わって帰国する度に、「亡命しなかったんだね」という変な笑いに迎えられ、ウルズラはわたしの首に抱きついて、「わたしだけ亡命するはずないじゃないの、ねえ」と言った。

ハンバーガーは食べたか、コカコーラは飲んだか、寿司は食べたか、芸者はいたか、と遠い国々の風物をいろいろな人に聞かれてもウルズラは「サーカスは島なの。島のまま、どこまでも流れていくから、遠くに行っても島を出ることはないの」と冷たく答えるだけだった。実際のところ、外国での公演旅行中は練習、公演、写真撮影、取材、移動に追われ、おみやげを買う時間が一時間与えられた他には自由時間もなかった。おみやげを見せてくれと言う団員も多かった。日本では浅草というところでウルズラが桜の舞い散る派手な模様の浴衣《ゆかた》を買った。わたしも浴衣が欲しかったが保護色の白以外の色を着ると不安になるので、売り子さんに「真っ白い浴衣ありますか」と聞くと「幽霊大会かい」と驚かれてしまった。日本では白熊の幽霊でなくて人間の幽霊も白い服を着ているそうだ。

日本と言えば、ポスターにある「東独のボリショイサーカス」といううたい文句を見てわたしは機嫌をそこねた。「ロシアの二番煎《せん》じみたい」と文句を言うと、通訳のクマガヤさんが、東京では六〇年代に来たロシアのサーカスが「ボリショイサーカス」と呼ばれてすごい人気だったことを教えてくれた。「だから七〇年代のわたしたちはそれを発展させた更に素晴らしいサーカスということで、こう書いたんです。二番煎じではありません。でも君だってロシア生まれなんでしょう」と訊《き》かれ、わたしは「違います。カナダ生まれです」ときっぱり答えたものの、生まれた国とわたしとの間にはほとんど何の関係もないことに気がついた。

ウルズラの中では六〇年代に初めて接吻した熊とわたしが重なってしまっているようだ。無理もない。どちらも名前はトスカ。しかも1986年にやはりカナダで生まれてドイツ統一直前にベルリンに来たわたしは、あのトスカの生まれ変わりなのだから。顔も身体《からだ》つきもそっくりで、何よりにおいが似ている。ドイツ統一の日が近づいているなどとは誰も気がついていなかったが、何か落ち着かない春の予感のようなものが空中できらきら光っていて、わたしは足の裏がかゆくて仕方なかった。もしも熊にお伺いをたてて共同体の未来を占う古代民族の知恵を党員たちが受け継いでいたら、わたしのところへ来て、わたしの「かゆい」と言う一言を有り難く受け止めて分析しただろう。そして、たとえ「統一」という言葉に思い至らなかったとしても、乗っ取りとか同居とか養子とか、何か二国間に起こったことにもっとふさわしい言葉を思いついていたかもしれない。

ウルズラはそんな落ち着かない時期に、ベルリンの遊園地で一日二回も舞台に立って毎回洪水のような拍手を浴びていた。彼女と同年配の人たちはとっくに呑気《のんき》な年金者生活を送っているというのに、ウルズラは毎朝早起きして、北極の女王にふさわしい顔を丹念に作り上げ、予算を削られてもコネでなんとか手にいれた極上の衣装を着て舞台に立った。一度目の舞台が終わると楽屋のソファーで死んだようにまるくなって眠り、二度目の舞台が終わるとスパゲティを山のように食べ、顔を丹念に洗って寝た。ショーの内容はかいつまんで言えば、わたしと接吻するだけだった。七〇年代の舞台では他の九頭が玉乗りをしたり、橇を引いたりして、最後にトスカとウルズラがタンゴを踊ってキスで締めくくるというドラマ仕立てだったが、今のわたしたちに残されているのはキスだけだった。

ウルズラはわたしと向かい合ってきりっと立ち、唇だけをやわらかく差し出す。その時、彼女の喉《のど》が闇《やみ》の中で大きく開いて、魂が奥でちらちら燃えているのが見える。一度接吻する度に、人間の魂が少しずつわたしの中に流れ込んできた。人間の魂というのは噂《うわさ》に聞いたほどロマンチックなものではなく、ほとんど言葉でできている。それも、普通に分かる言葉だけでなく、壊れた言葉の破片や言葉になり損なった映像や言葉の影なども多い。

ドイツが統一してから、まるでそれが原因であるかのように、マンフレッドはウルズラの目の前でアラスカアカグマに殺されてしまった。それからもわたしたちは死の接吻を繰り返した。初めのうちウルズラは口を大きく開けて舌を突き出していたが、慣れてくると口をほとんど開けていなくても口の暗闇の中にある白い輝きがわたしには見えるようになった。早く奪わなければ、それは刻々舌の上で溶けていってしまう。ウルズラも毎回甘さを味わっていたのだ。疲れのせいかウルズラの頬はたるんで開いた口の形が違っていて戸惑ったこともあった。ウルズラが歯医者で金属の歯を一本入れてもらってきた時はそれが口の中で光って怖かった。そんな風に小さな変化を楽しみながらいつまでも接吻を繰り返していたかったのに、1999年、サーカス・ユニオンも解体し、ウルズラは五十年近くも働いたサーカス界をあっけなく追い出された。わたしがベルリン動物園に売られることになったと聞いて、ウルズラは寝込んでしまった。わたしはまだ若かったので時代の変化にへこたれず、電子メールを始めることにしてコンピューターを買い込み、ウルズラにも勧め、たとえ離れて暮らすようになっても毎日メールを交わそうねと堅く約束した。

それからウルズラがこの世を去るまでの最後の約十年間、もう人間には理解されない落胆と怒りの言葉を発しながら生きたウルズラの晩年の言葉を聞き取って書き留めるという役目を義務教育さえ受けていないわたしが果たすことができたのは、接吻によって流れ込んできた魂のおかげである。

動物園でラルスと恋仲になりクヌートきょうだいを出産した時期でさえ、わたしはウルズラの伝記を書く筆を休めなかった。わたしは猫ではないので、もともと子供を猫可愛《かわい》がりする親の気持ちは分からない。クヌートの弟は虚弱体質で生まれてすぐに死んでしまったが、クヌートには狼《おおかみ》に育てられてローマ帝国を建国した双子のような大物になってほしかったので、あえて別の動物のところに里子に出した。そしてわたしの思惑通りクヌートは、地球の環境を守るために世界的に活躍する立派な活動家に育った。それだけではない。芸を磨かなくても、人の関心を集め、人の心を動かし、愛情と賛嘆を呼び覚ますことができるということをクヌートはわたしたちみんなに教えてくれた。でもそれは彼の物語であって、わたしは資本主義保護区に棲息《せいそく》するホモサピエンスのように息子の物語を自分の手柄にするつもりはない。わたしの課題はあくまでクヌートの陰で忘れられがちなウルズラの物語を書き綴《つづ》ることだと思っている。

ウルズラがこの世を去ったのは２０１０年三月のこと。まだ八十三歳だった。熊的に見れば長生きではあるが、人間なのだからもっと長く生きてほしかった。わたしはいつまでもウルズラと夢の中の北極で会話を続けていたかった。毎日舞台に立って、砂糖の味のする接吻を繰り返したかった。百年でも千年でも。

どうも人間の時間の観念というのは混沌《こんとん》としていてついていけないが、わたしなりに整理検討して並べた結果、１９９５年の夏、毎日二度、舞台で死の接吻を繰り返していた時期が、わたしたちの幸せのクライマックスだったと思うので、その場面をわたしの視点から描くことでこの伝記を締めくくりたいと思う。この時わたしは九歳、ウルズラは六十八歳だった。

わたしは背筋をまるめて、肩の力を抜いて二本脚で立った。目の前に立つ小さな愛《いと》しい牝人間は甘いにおいがする。その青い目に向かって、ゆっくりと腰をかがめて顔を近づけていくと、牝人間は角砂糖を一つすばやく短い舌にのせて、唇を軽く前にさし出す。小さな口の中で砂糖の白が輝いているのが見える。その色を見ると雪を思い出し、北極恋しさに胸がしめつけられる。わたしは牝人間の血のように赤い唇の間に自分の舌を差し入れて、輝く角砂糖をそっと取り出す。

北極を想《おも》う日

口に乳首が突きつけられる。思わず顔をそらしても、乳首は口にくっついてくる。脳がとろけそうになるくらい甘いにおいに誘われて、鼻がひくひくし、口がだらしなく開いてしまう。顎《あご》を伝ってこぼれる生暖かい液体は、ミルクなのか、それとも涎《よだれ》なのか。唇に力を入れ、喉《のど》をごくんとやって、喉の奥を暖かいミルクが流れ落ちていくのを感じる。それが胃におさまって、お腹がまるくなる。肩の力が抜けて、手足が重くなる。

そのうち声が聞こえ始め、目も見えるようになってきたが、それはある日急にそうなったわけではなくて、毎日なんとなくまわりの事物が形を成していく中で、気がつくと、毛むくじゃらの腕が二本あって、そのうち一本からミルクが出ること、もう一本がそのミルクを飲める姿勢に身体《からだ》を支えてくれることが分かってきたのだ。飲んでいる間は夢中で、お腹がいっぱいになると睡魔に襲われ、目が覚めると四方を壁に囲まれていた。

見上げると、壁の上の方に意味ありげな白い葉っぱが一枚、とめてある。届きそうで届かない。あれはいったい何なんだろう。二つの黒い鼻。四つの目。あとは白い。真っ白、白の白。どうやら小さな耳もあるようだ。変な動物。そんなことを考えているうちに意識が朦朧《もうろう》としてきてまた眠ってしまう。

壁に囲まれているのではなくて、箱の中にいるのだということがそのうち分かってきた。隣にはグニャグニャしたぬいぐるみがいて、そいつといっしょに箱の隅っこに押しつけられ、毛布をかけられてしまうと、もう眠くて眠くて、睡魔にはとても抵抗することなんかできない。

眠りの世界に入ると、あたりの空気がさっと冷えて、銀色の光がきらきら落ちてくる。光の雨は宙を舞いながらゆっくり落ちていき、やがて足下の凍りついた白い大地に吸い込まれる。大地にはたくさんヒビが入っていて、一歩踏み出すと、そのヒビがこちらの体重で押し広げられる。すると下に青い水が見える。踏み出した足に体重を移すと、青い水が波紋を描いて広がっていって、その広がりの中に吸い込まれていきそうになる。水に入ったら冷たくて気持ちいいんだろうなあ。でも呼吸はどうする?

一度落ちてしまって、もう這《は》い上がれなくなったら。

コツコツと振動が骨に伝わってきて目を覚ます。誰かが近づいてくる。白い世界は消え、毛ばだった緑がもっさり茂っている。それがいわゆる「毛布」で、これはいろいろな形にまるめることができる。四方を囲む木箱の木は垂直に高く聳《そび》え、玉と流線の織りなす不思議な木目が目の前にある。よじ登ることはできない。できないと分かっても、じっとしていられなくて、片手を持ち上げて、あちらへよろけ、こちらへよろけ。

上の方で、息を吸ったり吐いたりする音がする。こちらの呼吸とずれている。ずれているということは、息の出所が二つあるということ。こちらが吸えば、あちらは吐く。息の出てくるあの口、髭《ひげ》に囲まれたあの口、鼻の上についた二つの目、そして毛むくじゃらの二本の腕。それらはすべてつながっていて一つの存在なのだということが次第に分かってくる。そいつがミルクをくれるのだ。だから、そちらへ近づこうと壁をやたらに引っ搔《か》く。

「ははは、君はベルリンの壁を越えようとしているな。でも壁はもうとっくになくなっているよ。」そんなことを言いながら、毛むくじゃらの力強い腕が上から身体を持ち上げ、髭のところまで持っていってくれる。髭の真ん中には赤い湿った肉があり、その肉が声といっしょにミョロミョロと動く。「箱の外に出たかったんだね。ほら出たぞ。どうだ、外に出た感想は？」それにしても、外と呼ばれる空間があって本当によかった。外ではミルクが飲めるからというだけじゃない。お腹がすいていなくても、手が勝手に木箱の内側を引っ掻いて、外を欲しがる。外の光景を一目見ようとして、首が勝手に長く伸びる。生きるということはどうやら外へ出たいという気持ちのことらしい。

そして鼻先には、ぐいぐい前へ進もうとする力がいつも宿っている。その力が弱々しい前足をも無理矢理、前に推し進めていく。後ろ足にはまだ力が入らない。地面をしっかり踏みしめようとして前足に力を入れると、内側から外側に押し出すように、左右にずずっと滑って開いてしまって、顎からごつんとつんのめる。

力強い腕の持ち主は、ミルクをくれる前に必ず熱っぽく「クヌート」と何度も呼ぶので、ミルクを飲みたいという気持ちそのものを「クヌート」と名付けることにした。飲み始めると暖かさが上から下へ道を作る。その道がクヌートという名の欲望を線状に引き延ばし、その先端がお腹に達すると、今度は心臓が強く動きだし、そこから指の先まで放射線状に暖かいものが広がっていく。下腹は重くなりごろごろ鳴って、お尻《しり》が少しかゆくなる。そのうちまた眠ってしまうのだけれど、意識がなくなる前のその暖かさが広がっている区域全体がクヌートになる。

一方、ミルクを与えてくれる力強い腕の持ち主は、次に出現した新しい男によって「マティアス」と呼ばれた。新しい男は部屋に入ってくるなり、かかえていた箱を机の上にそっと置いて、「マティアス、新しい秤《はかり》を持ってきたよ。この秤は蚤《のみ》の体重でも量れるくらい正確なんだ」と言ったのだった。何かかじることのできるものが来たかとクヌートは期待したが、そうではなく、秤というのはなめることのできるものの、本当につまらないものだった。白くて、平らで、その上にプラスチックの湯船が乗っている。湯船と言っても、そのケースには身体を洗ってもらう時に使うあのタブのように水が入っているわけではない。

秤の上に設置されたプラスチック・ケースに入れられたクヌートは、外に出ようとして前足を縁にかけた。新しい男はあわててその前足を箱の中に戻したが、クヌートは今度は前足だけでなく、まだどちら側にでも曲がる柔らかい後ろ足を蛸《たこ》のように箱の縁にかけ、お尻を持ち上げて踏ん張って外に出ようとした。新しい男は落ち着いてクヌートの四肢を一つずつ縁からはずして箱の中に戻し、白い背中を上からぐっと押さえつけ、腰をかがめて横から観察した。それからクヌートをマティアスの手に戻すと、自分は黒い色の出る木の棒で自分の指を延長して、広げた帳面の表面をかりかり引っ掻いた。

新しい男の指はすごく長いのに、棒を使って更に指を長くして、カリカリやっている。一体どれくらい指が長くなれば満足するのか。そう言えばマティアスの指もすごく長いが、ミルクをかき混ぜる時には、その長すぎるくらい長い指を金属の棒で更に延長する。彼らは指を延長したがる指延長類の動物である。

動物と言えば、昼間は指延長類しか見られなかったが、暗くなると、ネズミが壁の外を駆け回る音が聞こえた。彼らは脚が速く、身体はとても小さいようだ。一度、箱の縁に飛びついて中を覗《のぞ》いて、クヌートの世界に越境してこようとした奴がいる。細長い髭と立派な前歯が二本生えた小さな茶色い顔をしていて、手には産《うぶ》毛《げ》しか生えていないので、柔らかそうな肌のピンク色が透けて見えた。こちらは退屈で寂しいので、そんな相手でも嬉《うれ》しくて息を荒げてしまった。それがいけなかったのか、向こうは恐怖に縮み上がって、後ろに落っこちてしまい、もう二度と愛らしい小さな顔を見せてはくれなかった。

いつだったか一度だけ大胆な青年ネズミが一匹、マティアスが来ているというのに姿を現した。「あ、ネズミだ」と叫んでマティアスはクヌートを床におろし、棒を持った手を振り上げたが、その時にはもうその青年は、壁の穴に駆け込んで見えなくなっていた。「クリスティアン、今ネズミがその穴から顔を出したんだ」とマティアスはその時ちょうどやってきたもう一人の男に報告したので、この男の名前がクリスティアンだということが分かった。クリスティアンはにっと笑って、「ホッキョクグマの赤ちゃんに関心があるのはどうやら我々ホモサピエンスだけではないらしいな」と結論づけた。指延長類は自分のことをホモサピエンスと呼んでいる。

クリスティアンは毎日やってきて、健康診断を繰り返した。秤で体重を量って記録し終わると、クヌートの口の中に指を入れて開けて中を覗き込んだ。クヌートの口の中には、げっぷが住んでいて、あああああっと口をあけると、げっぷが出てくる。げっぷはかすかにミルクの味がするが、それはもうすでに甘い誘惑ではなくて、嫌なものになりかけている。

クリスティアンはそれからクヌートの耳の中にひやっとする物を差し込んで、まぶたを押し上げて目の中を見て、肛門《こうもん》を押し広げ、手の平や指の間、爪《つめ》などを一通り点検する。「我々ホモサピエンスは、毎日健康診断なんか受けないよな」と言ってクリスティアンが笑うと、マティアスが「就職してから一度も受けたことないよ、健康診断なんて」と答えた。

マティアスのすることはどれも分かりやすくて快い。美味《おい》しいミルクをくれる。お腹を撫《な》でてくれる。手のひらで鼻面《はなづら》を押して遊んでくれる。それと違って、クリスティアンのすることは時に不快でもあり、第一、クヌートにとっては何の意味もないことばかりだった。マティアスならばミルクに粉を混ぜる匙《さじ》を床に落としてしまってクヌートがそれを腕に抱えて噛《か》みついて遊び始めても、しばらく待っていてくれるが、クリスティアンは自分の持ってきた道具をクヌートに触らせない。道具を床に落とすこともないし、一人で仕事を次々片付けて帰ってしまう。

それでもマティアスとクリスティアンには似たところが多い。どちらも身体が大きくて、手首などは骨の形が浮き上がって見えるくらい痩《や》せている。腕が毛むくじゃらなのでホモサピエンスは毛むくじゃらの動物という印象を与えるが、よく見ると腕と頭部以外は禿《は》げている。

クリスティアンには髭がなく、白衣を着ているところがマティアスとは違っていたが、脚はマティアスと同じく、爪のひっかかりやすい青い厚めの布で包んでいた。この布をジーンズと呼ぶ。「またミルクこぼして、ジーンズがよごれちゃったよ」とマティアスが溜息《ためいき》をつくとクリスティアンが「奥さんに叱《しか》られるか」と訊《き》く。「洗濯は自分でしている。動物の毛のついた服なんか子供の服といっしょに洗えないって言うんだ。」「随分と厳しいな。」「冗談だよ。そんなひどいことはもちろん言わないよ。」

「心の広い人だからな。」

クリスティアンは身体の動きが速いが、それはネズミのように生まれつき敏捷《びんしょう》だからではなく、早く仕事を終えなければいけないといつもあせっているように見えた。クリスティアンは待つことだけは苦手なようで、ある時クヌートが機嫌を損ね、秤にも乗るまいと手を縁にかけていつまでも踏ん張っていると、クリスティアンが前足を束ねて強くつかんだので、クヌートはクリスティアンの指に強く嚙みついた。クリスティアンは声をあげて、クヌートを放し、自分で自分の手をさすりながら「ああ、嚙まれちゃったよ」といつもより高い声で言った。マティアスは慰めるように、「今日は王子様は機嫌が悪いんだ。こちらの思い通りにはいかないさ」と言って、クヌートの頭を撫でた。

いつも忙しそうなクリスティアンが、そう言われて初めて椅子《いす》に腰を下ろして溜息をつき、クヌートの顔を眺めながらしばらくマティアスと世間話をしていったので、クヌートもクリスティアンの顔をゆっくり眺めることができた。クリスティアンは金色の髪の毛を短く刈り込んでいて、その毛の一本一本がマティアスが床を磨くのに使っているブラシみたいにぴんぴん立っていた。白い四角い歯が口の中に上下びっしり並んでいる。

クリスティアンがものを食べているところは見たことがないが、一体何を食べているのだろう。肌はつるつるで脂《あぶら》がのっていたが、肉は硬そうだった。唇は真っ赤で、髭を生やしているマティアスと違って、口の周りにはまったく毛が生えていなかった。潑剌《はつらつ》としたクリスティアンと比べてみると、マティアスは、肌も髪の毛もぱさぱさに乾いて、血液が肉の中を流れていないみたいに顔が黒ずんで見える。

いつからか、マティアスとクリスティアン以外にもホモサピエンスが部屋に入ってくるようになった。それも毎回違う顔で、これまで嗅《か》いだことのないような汗のにおい、むせそうになる粉っぽい花のにおい、煙のにおいなど、いろいろなにおいのする男女が入れかわりたちかわり部屋に入ってきて、まぶしい電光を浴びせかけ、質問を浴びせかける。まぶしい光はフラッシュライトと呼ばれるらしい。マティアスはフラッシュライトを浴びると痛そうにまばたきし、時には肘《ひじ》を鼻のところまであげて顔を守ることもあった。

マティアスは質問に答えるのが苦手なようで、答えたそうに唇を動かしても言葉の出ないことがあった。するとクリスティアンがマティアスを庇《かば》うようにカメラの前に身体を張って、言葉を次々打ち返していった。

クリスティアンのことをみんなは「ドクター」と呼んでいた。クヌートの身体は毎日重くなっていき、空腹感は強まる一方で、大便も日々大きく立派になっていく。どうやらクリスティアンが誇らしげに発音する言葉「成長する」というのは、このことを指すらしい。

マティアスは訪問者が帰るとぐったり疲れが出るようで、その日も最後の一人が帰って、クリスティアンも帰ると、クヌートを木箱に入れることも忘れて、そのまま床に腰を下ろし、膝《ひざ》を抱えて首を垂れた。クヌートは心配になってマティアスの脚に飛びついて口のまわりをふさふさと覆《おお》った髭や鼻の中や目のまわりのにおいを丹念にかいだ。「何だい、心配しているのか。まるで撃たれた親熊のにおいを嗅いでいる子熊みたいだな。平気だよ、僕は。撃たれたと言っても、フラッシュライトに撃たれただけだから、そう簡単には死なないよ。」そう言って、マティアスは複雑な表情を見せた。

クヌートは日々大きくなっていくのに、かわいそうにマティアスは成長しないだけでなく、毎日少しずつ縮んでいく。もしかしたらあの美味しいミルクはマティアスが自分の身体を絞って出している体液で、クヌートが飲めば飲むほどマティアスはひからびて小さくなっていくのではないか。

部屋に押しかけてくる訪問者の数は日々増えていった。マティアスはクリスティアンよりも更に背が高いのに、訪問者が来ると部屋の隅に引っ込んで、向こうを向いて背中をまるめ、まるで自分が小さく見えるように努力しているみたいだった。訪問者たちは初めのうちはそんなマティアスの背中にちらちら視線を送りながらも声をかけられず、クリスティアンの話すことをしきりとメモしているが、しばらくすると必ず思い切ってマティアスの方に近づいていって、写真を撮らせてくれとせがみ始める。なぜなのか分からないが、クリスティアンだけでは写真にならないらしい。マティアスはあきらめたように、哺乳瓶《ほにゅうびん》を片手に持ち、クヌートをもう片手で抱いて胸に押しつけ、カメラの方を向く。マティアスの胸の筋肉がこわばり、腸がごろごろ鳴って、指先がかすかに震えているのがクヌートの身体に直接伝わってくる。マティアスのお腹がごろごろ鳴るとクヌートのお腹もごろごろ鳴り出す。

マティアスの目は光がよほど苦手なようで、フラッシュライトが当たるとせわしなくまばたきする。クヌートの瞳《ひとみ》はまぶしさを知らないので、どんなに残酷なフラッシュの連発にさらされても、やさしい闇《やみ》をたたえたままだった。

初めに押しかけてきた訪問者はジャーナリストという名前で、次の訪問者もジャーナリストという名前だった。そしてその次に押しかけてきたのもジャーナリストという名前だった。そのうち、マティアスやクリスティアンは一人しかいないけれど、ジャーナリストはたくさんいるということが分かってきた。

　それにしても、あの「写真を撮る《フォトグラフィーレン》」という不思議な儀式にはどんな意味があるのだろう。訪問者の中にアイヌ文化とサーメ文化における「熊をめぐる儀式」のことを話していたジャーナリストがいた。熊をめぐる儀式というのは、ホモサピエンスが熊を取り囲んでフラッシュを焚《た》いて、一瞬凍り付いたようになるあの「写真を撮る」という儀式のことを言っていたのだろうか。

「君がこの部屋で寝泊まりするようになったのは、なかなか他の人には真似《まね》のできないことだと思うよ」とある時クリスティアンに誉《ほ》められたマティアスが、「寝泊まりしなければ五時間に一度クヌートにミルクをやることができないだろう」とあっさり答えた。「でも奥さんは何て言ってるんだ？　うちなんか、残業が続いただけでも離婚騒ぎだよ。」

　マティアスはいつも部屋にいるものと思っていたら、そのうちにクヌートが眠っている間に、こっそり外へ抜け出すようになってきた。夕方の哺乳が終わってクヌートが眠りについてしばらくすると、窓の外からホモサピエンスたちの声が聞こえなくなって、それ以外の生き物たちの声が盛り上がっていく。マティアスはその声に励まされるように机の脇《わき》に隠してある黒いケースからギターを取り出して、それを持って外に出る。クヌートは起きていっしょに行きたいのだけれど、眠さが強く逆方向に引っ張るので目を覚ますことができない。耳だけは目覚めているが、残りの身体は夢の世界に行ったままだ。

弦をつま弾く音が聞こえてくる。それを聴いていると、マティアスはそれほど遠くには行っていないんだろうなあ、と思って安心する。

マティアスは部屋に戻ってくると、クヌートを木箱の中から抱き上げて外に出してくれるが、一度でいいから玩具《おもちゃ》にしてみたいギターはどこにも見あたらない。「君が生まれる前から、仕事が終わってもすぐに家に帰る気がしなくてね、檻《おり》の外でギターを弾いていたんだよ。家では家族が待っている。帰りたいんだけれど、同時に帰りたくない。分かるかな、この気持ち。分からないよな。」マティアスはホモサピエンスが周りにいるとあまり口をきかないくせに、クヌートと二人だけになるとよくしゃべる。

クヌートは、机の脇に立てて押し込んであるギターケースをやっと見つけて、前足で引っ搔《か》いてみる。マティアスは匙やバケツや箒《ほうき》やちりとりなど、大抵の道具はクヌートにも触らせてくれるのに、このギターという道具だけは堅い黒いケースに入れて絶対に触らせない。クヌートがどんなに苦労して爪や歯を蓋の隙間にさしこんで開けようとしても開かないようにケースに鍵《かぎ》までかけてある。いじらせてくれたらぜひ弦に嚙みついて歯で演奏してみせたのに。きっと面白い音がするだろうなあ。歯がだめなら爪でちょっと引っ搔くだけでもいい。マティアスがあんな貧弱な爪で引っ搔いただけでギターは響くのだから、クヌートの立派な爪で弾けばどれだけおいしい音がすることかと思う。

音楽がどこから始まったのか覚えていないが、耳が聞こえるようになるとすでにもう、途切れることのない音の連なりの中に生きていた。多分この音楽は、クヌートが生まれる前から始まっていたのだろう。

そのうちにクヌートは一度聞いたことのある音の連なりが繰り返されると、ははあん、と思うようになった。たとえば、ガランガランと鍋《なべ》を棚から出す音、グブッと冷蔵庫を開ける音、トトトトトとミルクを鍋に注ぐ音、そこにいろんな楽器が加わっていって、粉をザアアアッと入れてカラカラかき混ぜる匙の音。匙をボウルの縁でタンタンタンと三回叩《たた》く音が締めくくりで、これで立派な熊離乳食交響曲が完結し、感動の唾液《だえき》があふれてくる。何度も繰り返すので覚えることのできる音の連なり。そこには初めと終わりがある。

マティアスの足音を聞き分けられるようになったのは随分前のことだが、それはマティアスが部屋を出て行ってしまうと不安で、一体いつ帰って来るだろうかと思うあまり、全身が耳になってしまうからだった。いつからかマティアスは外泊の癖がつき始めた。本当によくない癖だと思う。夕方最後のミルクを与え、クヌートを木箱に入れてぬいぐるみで押さえつけて寝かせつけると、ギターではなくて鞄《かばん》を持ってどこかへ消えてしまい、翌朝まで帰って来ない。

マティアスが外泊する夜は、代わりに別の男が来てミルクを飲ませてくれる。クヌートももう赤ちゃんではないから、別の男のくれる乳でも嫌がらないで飲む。その男は頬に肉がついていて、肥《ふと》っていて、手が熱くて、クヌートはそいつの身体からしみ出してくるバターのにおいが好きだった。つまりマティアスがいなくなってもお腹は一杯になるし、嫌なことは何もないのだけれど、ひとかけらの不安が残り、それがどうしても消えない。ミルクをくれる男が百人いた方が一人しかいないよりも安心なはずなのに、どういうわけか、マティアス一人に執着することで安心感が生まれる。だから朝になってマティアスが出勤する足音が聞こえると、いても立ってもいられなくなって、木箱の内側をめちゃくちゃに引っ掻いてしまう。

「こらこら、あんまり引っ掻くから親の写真を破いてしまったじゃないか。せっかくトスカとラルスの写真を貼《は》っておいてやったのに。これはおまえの両親なんだぞ」と言いながら、ある日マティアスがぼろぼろになった紙切れを剝《は》がしてゴミ箱に入れてしまった。クヌートはびっくりして、一度もちゃんと見たことのなかった写真を今になって見たいと思ったが、もう手遅れだった。あの紙切れが、あの写真が、自分の両親だったなんて。

クリスティアンはクヌートが落ち着かなくなったことに気がついて、「写真がなくて寂しいんじゃないか。君がクヌートを抱いて乳をやっている写真を貼ってやったらどうだ。生みの親より育ての親だ。マドンナと幼子イエスみたいな写真、ないのか」と言った。「からかうなよ。夜、家に帰れるようになって、やっと家族も安定してきたんだから」と言いながら、マティアスはクヌートの頭を撫《な》でた。「家族」というのは、クヌートにとってはとても不吉な響きを持った言葉だった。

朝になると鳥たちが騒ぎ始め、それは暗闇が薄れて太陽が見えるようになったことを喜んでいるようでもあり、また朝食がみつからなかったらどうしようと慌《あわ》てているようにも聞こえ、時には襲われて逃げる時の悲鳴のようにも聞こえた。窓枠にとまって、クヌートの部屋の中を覗《のぞ》き込む図々《ずうずう》しい鳥もいた。一口に鳥と言っても翼が生えているところだけが共通点で、人柄はそれぞれ全く違っている。落ち着きなくて飾り気のない雀、おっとりしたユーモアを感じさせる椋鳥《むくどり》、紫と白の混ざった恐ろしい顔つきのカケス、ほおほお感心ばかりしている鳩など多様だった。その他にもいろいろ声が聞こえると言うことは、外の世界は多分、鳥で溢《あふ》れているのだろう。なぜ自分やマティアスやネズミは翼がないのだろう。もし空を飛ぶことができたら、まず窓のところまで飛んでいって外を覗いてみたかった。

マティアスが来れば、木箱の外に出してもらえる。でも部屋の外のことが気になり始めると、木箱の外に出るだけでは満足できなくなってきた。部屋の外に出たい。「君も日々やんちゃになってきたなあ」とマティアスは言うが、クヌートは部屋の中にいると部屋の外のことが気になって、じっとしていられない。戸をむやみに引っ掻いては、マティアスに叱られる。外に出れば、外のことを考えるのをやめることができるのではないかと思う。

外に出られなくても外に出た気分になれる方法が一つだけある。それは耳を澄ますこと。聞こえる世界は、見える世界よりもずっと広くて、しかも色彩に富んでいる。それがクリスティアンの言う「音楽のすばらしさ」ということなのかもしれない。クリスティアンは家に帰ると趣味でピアノを弾いているそうだ。「でもあまり長く弾いていると、家族は耳に栓をしてしまう。君の家はどうだ？」とクリスティアンに訊かれて、マティアスは「家でギターを弾く気にはなれないね。文句は出ないと思うけれど。一人がいいんだ。一人であることを味わうために弾いているようなものだから、これは音楽とは言えないよ」と答えた。

クヌートは「家族」と聞いて、呼吸が止まる思いがした。それは不安をかきたてる言葉、そのうち不幸が襲いかかってくるぞ、という予兆を与える言葉だった。鳥のさえずり、ギター曲、などいろいろと音楽がある中で、クヌートが一番苦手なのは、日曜日に聞こえてくる教会の鐘の音だった。ぐああんぐああんと始まると我慢できなくなり、身を縮め頭を抱えて終わるのを待つ。それを見てクリスティアンは「君は異教徒か」と言って、からからと笑ってから、まじめな顔になって言った。「ゲルマン民族は長いこと熊や狼《おおかみ》を崇拝していた。鐘を鳴らしているのは、心の熊を追い出すためなんだってさ。」「それ本当か」とマティアスが疑い深そうに尋ねると、「雑誌に書いてあった」といい加減に答えながらクリスティアンはもう帰り支度を始めていた。

日曜日でもマティアスとクリスティアンは朝一応出勤してきたが、クリスティアンは健康診断を急いで済ませて帰り、マティアスも昼に帰ってしまって、あとは、あのバターのにおいのする男が来てミルクをくれた。マティアスはこの男に、「モーリス、それじゃ、あとは任せた。夕方ミルクをやって寝かせればいい。あとは夜中の二時の最後の哺乳まで家に帰ってもどこへでかけても平気だよ」とさばさばした調子で言うのだが、この男は話を聞きながらとろけるような微笑《ほほえ》みを浮かべてマティアスの顔に魅入っていた。多分、マティアスの顔がとても好きなのだと思う。それからあわてて頷《うなず》いてみせるのだけれど、実際はマティアスの言うことを聞いていなかったかもしれない。モーリスは途中でどこかへ行ってしまうということがなかった。夕方の哺乳と夜中の二時の最後の哺乳までの間もずっと部屋にいて、クヌートがいつ目を覚ましても部屋の隅の椅子《いす》に腰掛けて本を読んでいた。クヌートの目が覚めると、木箱の外に出してプロレスごっこもしてくれた。マティアスよりもゆっくりとした動きでクヌートの身体を倒して床に押しつけ、やたらとお腹や耳のまわりを撫でるので、体温が上がってしまう。

「もう疲れたからスポーツはおしまいだ。本を読んでやるよ。何がいい？　オスカー・ワイルド、ジャン・ジュネ、ユキオ・ミシマ。いろいろ持ってきてるよ。」モーリスが次の日曜日もその次の日曜日も同じ作者名を繰り返すのでクヌートも名前だけは覚えてしまったが、読み聞かせてもらうと、どれも同じように快い子守歌ですぐに眠ってしまった。

日曜でなくてもマティアスが夕方帰ってしまい、モーリスの来る日が増えてきた。夜二時半にそのモーリスも帰ってしまうと、外からいろいろな声が聞こえ始める。まるでモーリスが帰るのを待っていて、帰った途端にみんな騒ぎ始めるみたいだった。たまにモーリスの代理の男が来ることもあったが、その男の名前は分からなかった。においが少しモーリスと似ていた。

夜の声を聞いているとクヌートは身がぴりぴりしてくる。怖いとは感じない。みんな自分より弱い動物ばかりであることがちょっと声を聞いただけで分かる。実力は声に現れる。それぞれが緊張して生きていて、緊張をゆるめたら死んでしまうかも知れないという焦《あせ》りが伝わってくる。梟《ふくろう》の闇に関するやたら抽象的な連続講義でさえよく聴いていると闇の中で生き残るための知恵なのだということが分かってくる。いじめに遭った猿の夜泣きは、群を作って生きる者たちの残酷さを語っているように思える。ねずみの女将《おかみ》さんの小言は、かいつまんで言うとどうやら、もたもたしていると捕まえられて食べられてしまいますよ、ということのようだ。クヌートを食べる動物もいるんだろうか。盛りのついた雄猫二匹は性交の相手を取り合って喧嘩《けんか》している。相手なんて誰でもいいのにそうはいかないのかなあ、とクヌートは不思議に思う。ハリネズミの独り言は、とげとげしくて近づきにくい印象を与える。彼なりの針に覆《おお》われた世界観をあらわしているのかもしれない。何が聞こえても耳を澄ましているうちに、あらゆる音声の中に宿る微妙な違い、その違いの組み合わせによってなりたっている今という不思議な空間の一回きりの色合いが聞き分けられるようになってきた。

マティアスが夕方弾くギターも曲の区別がつくようになってきた。一番分かりやすいのは蜂《はち》が何十四も飛び交う音を真似たあの曲で、聴いていると背中がかゆくなってくる。氷の板が何枚もぶつかりあって砕ける音がして、それから冷たい滴《しずく》が落ちたり、飛び散ったりする曲もある。マティアスがクリスティアンに聞かれて説明していたのを聞いていたら、むずがゆい曲はエミリオ・プジョルという人の「丸花蜂《まるはなばち》」という曲で、氷板の曲はマヌエル・デ・ファリャの「粉屋の踊り」だということが分かった。粉屋というのはどんな踊りをする職業なのか知らないが、聴いていると腰を揺すって踊りたくなってくる。

ギター曲は好きだけれど、あまり演奏が長引くとつまらなくなってきて、早く演奏をやめて戻ってこないかなあと思ってしまう。遊びたいからというだけでなくて、本来いっしょにいなければならない者が離れたところにいることへの肉体的苦痛。早く帰ってきてほしいとあまりにも切実に思い続けたせいで、マティアスがどういう順番で曲を弾くかがだんだん分かるようになってきた。

最後に弾くのはいつも悲しい曲だった。その曲を弾き終わると、マティアスは必ず満足そうな顔をして戻ってきて、まずギターをしまってから、クヌートを抱き上げて頬ずりする。「ずいぶん悲しい曲だね、今のは何て言う曲だい」とめずらしく夕方やってきたクリスティアンに訊かれてもマティアスはにやにやしているだけで答えなかった。つまり、「悲しい曲」というのは弾いた後でマティアスが嬉《うれ》しそうな顔をして戻ってくる曲のことだった。クヌートはこの悲しい曲を聴くと、マティアスがもうすぐ戻ってくることが分かるのでとても嬉しくなった。

マティアスのいない時間は耐え難い。明け方に目が覚めて、隣にいる間抜け顔のぬいぐるみに鼻を押しつけていると腹立たしくなってくる。ぬいぐるみというのは、どんなに押しても決して押し返してこない。マティアスの手だったら、ぐいぐい押し返して、胸をつかんで、くるっと投げ飛ばしてくれるのに。クリスティアンだって遊んではくれなくても、押せば押し返してくるし、嚙《か》めば怒る。何の反応も示さないぬいぐるみというのは、何て退屈な奴だろう。退屈というのは、やるせない、寂しい、つまり孤独ということだ。おまえはいつもグニャグニャしているだけで何も意見を言わないが一体何が面白くて生きているのだ、と訊いてみても、ぬいぐるみは答えない。本当につまらない奴だ。

それにしてもマティアスはいつになったら姿を現すんだろう。そう考え始めると我慢できなくなってきて、これが「時間」というものなのだ、と突然クヌートは悟った。窓がだんだん明るくなっていく、その遅さ、それが時間だ。時間というものは一度現れるといつ終わるか分からない。もうこれ以上耐えられないと感じた頃やっとマティアスの足音が近づいて来る。それからドアを開ける音がして、マティアスが箱の中を覗き込んで、クヌートを抱き上げ、鼻と鼻をくっつけて、「おはよう、クヌート」と挨拶《あいさつ》する。「時間」はその時点で消えてなくなる。においを嗅《か》ぐこと、ミルクを飲むこと、遊ぶことなど、やることが次々できて忙しくて、時間について考えることができなくなるからだ。でもマティアスがいなくなった瞬間、また「時間」が始まる。

時間は食べ物と違って、がつがつ食えばなくなるものではない。時間を前にするとクヌートは自分の無力さを思い知らされる。時間というのは、噛みついても引っ掻いてもびくともしない孤独の塊だ。クリスティアンは口癖のように「時間がない」を繰り返しているけれど、それは本当に羨《うらや》ましいことだと思う。

マティアスは鼻と鼻とをくっつけているのがすごく好きみたいだったけれど、クヌートはマティアスの鼻が乾いていることが本能的に心配になる。こんなに鼻が乾いているのでは間違いなく病気だ。放っておけば死んでしまう。クヌートは不安から逃れるために鼻をそらしてマティアスの髭《ひげ》のにおいを嗅ぐと、こちらはゆで卵やソーセージの香りがしてなかなか楽しい。口の中からは洗面所で使うチューブにはいっているあの歯磨き粉のにおいがし、このにおいは苦手だけれど、目は美味《おい》しい目脂《めやに》の味がする。目をなめるとマティアスは顔を引いて「やめろよ」と楽しそうに言う。髪の毛は石鹼《せっけん》と煙のにおいがする。

マティアスは薄目をあけて、自分の顔を探検しているクヌートをしばらく観察していたが、そのうちクヌートの目の中を覗き込んでしみじみと語った。「不思議だね。就職したての頃、熊の世話係に選ばれて、勉強のために随分いろいろな探検家の書いた本を読んだ。ある探検家が旅行記の中に、ホッキョクグマと向かいあって目が遭った時は気絶してしまいそうなくらい恐ろしい気持ちがする、と書いていた。それは、襲われるのが怖いんじゃなくて、熊の目が何の反応も見せないから怖いんだそうだ。狼の目には敵意、飼い犬の目には愛情が見えると信じている人間たちが、ホッキョクグマの眼差《まなざ》しと出遭って、そこに自分の姿が全く映っていないのを見て、愕然《がくぜん》とするんだそうだ。からっぽの鏡。人間なんて存在しないに等しい、と言われたようで、それでショックを受ける。そんな眼差しに一度出遭ってみたいと思うこともあったよ。でも君はあきらかに人間を見ている。そのせいで君が不幸にならないといいんだけれど。」

マティアスはそんなことを言いながら眉間《みけん》に縦皺《たてじわ》を寄せて、クヌートの目の中をもう一度掘るように覗き込む。クヌートはプロレスごっこがしたくて、哲学者になってしまった退屈なマティアスに両手でつかみかかっていく。

ある日クリスティアンはいつものように体重測定を済ませると、めずらしくクヌートを床に置き、その鼻先に右手を広げて構えた。クヌートは喜んで飛びかかっていった。クリスティアンはしばらく押し合ってから、両手でクヌートを元の位置にもどした。それからまた、同じように右手を構えた。クヌートはその手をじっと睨《にら》んで今だと思った瞬間、襲いかかっていった。「やっぱりそうだ」とクリスティアンがひどく興奮した声をあげた。「どうしたんだ、いったい。」マティアスは熊につままれたような顔をしていた。「手を右に動かそう、と思うとね、そう思うほんの一瞬前にクヌートが同じ方に動くんだよ。つまり人間の考えていることが本人より先に分かるんだ。」「そんな馬鹿なことあるか。」「本当だよ。試してみろよ。」「後でいいよ。」「これはすごい発見だ。脳科学の雑誌にそんなようなことが書いてあったんで、試してみたくなってね。クヌートはサッカーチームの監督になるべきだ。敵の動きが敵より先に分かるんだからね。今度のワールドカップは優勝だぞ。」「おいおい、クヌートはサッカーはそれほど好きじゃないみたいだから、無理に監督にするなよ。」「どうしてそんなことが分かる？」「テレビでボクシングやプロレスをやっているとじっと見ているけれど、サッカーだと見ないんだよ。」「ははは。君の好きな恋愛物はどうだ。」「興味深そうに見てるよ。」「それはすべて母親である君の影響じゃないかと思うね。」「父親じゃなくて母親か。」「そうだよ、どう見ても君は男性的母親だ。いや、母性的男性だ。」

マティアスはねずみ色のテレビを一台部屋の中に持ち込んで時々見ていた。クヌートも仕方なく付き合って見ていたが、サッカーは蟻《あり》のように小さなものが動いているだけでつまらなかった。好きなのはプロレス。女性のたくさん出てくるドラマも好きだったが、女性は悲しそうな顔をすることが多いので長く見ているとヘンナリしてしまう。この間も恋人の男が「もう君のところへ来ることはできない」と言ってドアをバタンと閉めて自動車のたくさん停まっている道に出て行ってしまって、残された髪の長い女性は一人台所で泣いていた。台所にはおいしそうなバナナの房が置いてあった。その男は別の町に妻と子がいるんだそうだ。マティアスはまばたきするのも忘れて真剣に見ていた。クヌートはなんだか泣きたくなってきた。もしもマティアスがある日、「もう君のところへ来ることはできない」と言い出したらどうしたらいいんだろう。マティアスも遠くの町に妻と子を隠しているのではないのか。

ミルクの中にだんだん固形物が入るようになってくると、クヌートの食事の支度にマティアスがかける時間はどんどん長くなっていった。「忙しいから悪いけど一人でテレビでも見ていてくれよ」と言われても、クヌートにそんなことができるはずがない。マティアスといっしょに見ていれば、マティアスの身体を通してボクサーのくやしさが伝わってきたり、女性の悲しみが伝わってきて面白いけれど、一人で見ているとテレビなんて光がちかちかするだけの退屈な箱に過ぎない。生きている者を通してしかテレビの面白さは理解できないし、できることならテレビを消してマティアス自身がプロレスの相手をしてくれた方がずっと面白い。面白いのは「生き物」だけだ。あの小さなネズミでさえ、テレビよりは面白い。栗鼠《りす》も面白い。

クヌートはだいぶ背が高くなってきたので、木箱の内壁に前足をかけて立てば、窓の外の胡桃《くるみ》の木に栗鼠が登っていくのを見ることもできた。鳥や栗鼠はあんなに身軽なのに、なぜクヌートだけ肥《ふと》っていて動きが鈍いのだろう。壁を登っていって、窓の外を見てみたいものだ。

マティアスが立って調理に励んでいると、その脚を登っていって髭のにおいを嗅ぎたいと思うことがある。マティアスは脚がとても長くて、立って調理を始めると、まるで栗鼠が樹木の上に駆け上がってしまったのと同じで、髭に全く届かないので退屈で仕方ない。調理時間は日々長くなっていく。クヌートは待っている間に、胃から始まって胸も頭も全部からっぽになっていくような気がした。「もう少しだよ、おとなしく待っているんだよ。健康にいいものをたくさん入れてあげるから。」マティアスは、胡桃をすりつぶしたり、オレンジをしぼったり、オートミールを煮たりして、それを缶詰の中味と混ぜ、そこに胡桃油などを垂らして練る。

一度マティアスの手がすべって、猫の写真のついた缶詰が床に落ち、中味がばらまかれてしまったことがあった。クヌートは、すぐに舌を雑巾《ぞうきん》にして、床をきれいにし大いに満足した。それ以来クヌートは内心、猫の缶詰を開けてそのまま出してくれればいいのにと思うようになった。何のためにそんなにいろいろ「健康にいいもの」をすりつぶしたりしぼったり刻んだりして混ぜるのか分からない。

北極で生きる者にとっては何より脂肪分が大切だということは、クリスティアンがジャーナリストたちに説明しているのを聞いて知っていたが、ここはベルリン。冬だという噂《うわさ》だけれど、とても暑くて、皮下脂肪が必要だなんてとても信じられなかった。

それから、新鮮なアザラシの血肉には脂肪だけではなくビタミンなども含まれているということもクリスティアンが言っていた。ある時、「クヌートの食事はどんなものですか」と、女性ジャーナリストに訊かれてクリスティアンは、「アザラシの肉が理想的なのですが、もちろんアザラシの肉などあげるわけにいかないので、牛肉をやっています。肉だけでなく、そこに野菜、果物、木の実、穀物などを混ぜています」と答えた。それを聞いて眼鏡をかけた若い男のジャーナリストが、「アメリカの億万長者たちが愛用している一個百ドルの猫の缶詰をクヌートが食べているという噂があるのですが本当ですか」と訊いた。クリスティアンは冷たく、「ははは。アメリカの億万長者にご親戚《しんせき》でもいらっしゃるんですか。そういう話は初耳です。それにしても噂というのは創造性に富んだものですねえ。元東独の左派の間では、クヌートは実はシュプレーヴェルダー・ピクルスが大好物だなんて噂も流れているんじゃないですか」とやりかえした。

ある日マティアスとクリスティアンに知らない人から熊の顔のついたエプロンが送られてきた。熊と言っても、黒くて、首に白い襟をつけた変な熊だった。二人はおそろいのエプロンを付けた途端に身体の動きが似てきて、その日の二人は楽しそうにいつまでも材料をすりつぶしたり、すりおろしたり、かき混ぜたりしていた。クヌートは頭を両手で抱えて溜息《ためいき》をつきながら食事のできるのを待っていた。
クヌート自身は、外の売店で売っている焼きソーセージを好きなだけ食べてみたいといつも思っていた。自分の食事のことはあまり考えないマティアスが時々、「ああ、お腹がすいた」と突然思い出したように言って外へ飛び出して買ってくるあのソーセージだ。クヌートがほしがると、「だめだよ、こんなジャンクフードを食べたら。君は王子様だろう」と言うのだが、クヌートは椅子《いす》にすわったマティアスの脚に抱きついて、必死で膝《ひざ》に這《は》い上がる。マティアスは腕を振り回してソーセージを王子様の鼻先から遠ざけようとするが、そのうち降参して一本まるまる献上する。クヌートは嚙まずにがつがつのみ込んでしまう。

ある日クリスティアンが体重計の目盛りを見ながら上ずった声で「もうすぐデビューの日が来るね」と言うと、マティアスは顔を陰らせた。クリスティアンが励ますように、「元気に駆け回るクヌートの姿をテレビで放映すれば、地球の温暖化ストップのいいキャンペーンになると思うよ。このまま温暖化が進めば、北極の氷は溶けて、この先五十年でホッキョクグマは今の三分の一に減ってしまうんだぞ」と付け加えたが、それでもマティアスが話に乗ってこないので、クリスティアンはがっかりしたのか、今度はクヌートに向かって、「デビューの日には、君は毛布の橇《そり》に乗って、華やかに舞台中央に登場するんだぞ。デンマークの王様みたいに上品に国民に向かって手を振ってみせることができるかい。」クリスティアンがクヌートの右手をつかんで持ち上げて振ると、クヌートはクリスティアンに軽く嚙みついた。「はははは、君は白い手袋はしているが、マナーはまだ王室風になっとらんな。大使に嚙みついてはいかん。」

「デビュー」というのが新しい食べ物なのか玩具《おもちゃ》なのかクヌートには想像もつかなかったが、その朝はみんなの顔がしらじらと明るく、しかも不安げで、これまでになかった雰囲気が漂っていたので、いよいよデビューの日が来たんだな、と思った。

マティアスはいつもの服を着ていつもの時間に現れたが、呼吸が速かった。クリスティアンは白い背広を着て、メイク係のローザという女性を連れて現れた。ローザはクヌートを見ると、「小さくて、ぬいぐるみみたいですねえ」と甘い声を引き延ばし、それを聞いたクリスティアンは怒った声で、「小さくなんかありません。生まれた時はたったの八百十グラムで保育器に四十四日も入っていたんですよ。それが、こんなに大きくなったのに、小さいなんて」と抗議した。ローザはあわてて、「これは失礼。本当に大きくて立派な態ですねえ」とすぐに調子を合わせ、湿った綿でクヌートの口のまわりの涎《よだれ》と目脂《めやに》を拭《ふ》き取った。それにしても、ぬいぐるみのようだなんてひどい侮辱だ。

ローザのお尻《しり》のあたりはとてもいいにおいがしたが、脇《わき》の下に変な薬を塗っていたのでくしゃみが出てしまった。それであわててマティアスの後ろに逃げ隠れるとマティアスがかすかに微笑を浮かべた。

ローザはクヌートに顔を近づけて励ますように、「ドイツはスターを捜しているのよ」と言った。クヌートはそういう名前のテレビ番組を見たことがあった。頼りない感じの人たちが次々出てきて歌を歌ってみせると、審査員が「下手だ」とか「才能がない」とか文句をつける嫌な番組だった。マティアスとテレビを見ながら、自分なら出たくない番組だなといつも思っていた。でも今日のデビューは何かあの番組と関係があるんだろうか。まさかあの番組に出させられるんじゃないだろうな。なんだか心配になってきた。

ローザがいるせいか、今日のクリスティアンは良いにおいを出しているが、マティアスは嫌な汗をかいている。クリスティアンはローザと「つがい」たがっているのかなあ、とクヌートは思った。でも昨日確かクリスティアンは、「ホッキョクグマばかり見ていると、痩《や》せた女性がみすぼらしく見えて、全く色気を感じない」と言っていた。ローザはとても痩せていて、手首足首なんか椋鳥《むくどり》が見たらつついて食べてしまいそうに細いけれど、クリスティアンはこんなガリガリの相手でいいんだろうか。

「あなたのオフィスはフラミンゴの家の隣だそうですね」とローザが甘い声で会話を押し開くと、クリスティアンは嬉《うれ》しそうな顔をむき出しにして、「よくごぞんじですね。そのせいか時々一本脚で立って仕事しています。今度いらしてみますか」とすらすらと言ってのけた。それにしてもクリスティアンの舌はどうしてこう滑らかに動くのだろう。クヌートは自分自身の舌には苦労させられていた。深皿から水を飲もうとして舌が絡《から》まって、むせて、呼吸困難に陥ってしまったこともあった。あの時は、クリスティアンが逆さまにつるして背中を叩《たた》いて助けてくれたので呼吸がもどってきたが、危うく自分の舌のせいで死ぬところだった。

ローザは雀のように口をつぐんでいられない性格らしく、やっと訪れかけた沈黙を破って、「ヤンヤンが病気になったのは、あなたがクヌートばかり愛し始めたからじゃないですか？」とねとねとした声で尋ねた。クリスティアンは鼻の穴を膨らまして、「違います。ヤンヤンは失恋して病気になったりしません。わたし自身のことを言わせていただくと、本命は熊ではなく、やっぱりホモサピエンスです」と変に自信ありげに胸を張って宣言してから、片眼だけつぶってみせた。どうすれば片眼だけつぶることができるのだろう。また、それはどういう役に立つのだろう。それに、ヤンヤンというのは一体誰なんだろう。

マティアスはローザに背を向けてクヌートを抱き上げ、「歌の練習は充分にしたか。踊りの方はできているか。いよいよデビューだぞ」と真剣な顔で囁《ささや》いた。「歌」と「踊り」と聞いて、クヌートはどきっとした。どうしよう、まだ何も稽古《けいこ》していない。自分は何て愚かなんだろう。粉屋の踊りの曲を聴く度に、踊りたいという気持ちが腰のあたりに生まれてきたのに、いつもそのまま何もしないで寝てしまった。鳥のさえずりを聴きながら、自分ももっといろいろな声を出したいと思ったこともあるが、鳥に馬鹿にされるのが怖くて練習しなかった。高い声を出して歌の稽古をするより黙っていた方が貫禄《かんろく》がありそうに見えるからだ。でも何も練習しないで、しかも偉そうにしているなんて最低じゃないか。何の芸も身につけずに、食べ物と眠りをむさぼって、今日の日まで生きてきた。何の芸も練習しないで、デビューの日を迎えてしまった。「お前は何もできないんだね。困ったものだ。わたしがお前くらいの歳《とし》には」とお説教されたのは、いつの夢の中での出来事だったろう。

あの時はお説教をちゃんと聞いていなかった。目の前に立ったものすごく年をとった巨大な雪の女王の姿に見とれて、ぼんやりしていたのだ。彼女の身体《からだ》は、マティアスの十倍くらいあって、背後には雪野原がどこまでも白く広がっていた。まばゆいばかりの真っ白な毛皮をまとっている。その姿にうっとり見とれるばかりで、説教の内容は全く頭に入ってこなかった。雪の女王がそのうちに吹雪きの中に消えてしまいそうになったのであわてて、「あなたは何と言う名前の動物ですか」と訊いてみると相手は呆《あき》れて、「本当に無知だね、お前は。おまけに何も芸がない。何も知らないし、何もできない。自転車にさえ乗れない。カワイイだけが取り柄でテレビばかり見ている」としゃべっているうちに咳《せ》き込むような勢いがついてきた。マティアスにもクリスティアンにも「芸がない」と言われたことはなかったのでクヌートは驚いて素直に、「でも自転車なんて乗ってどうするんですか。芸って何ですか」と訊いてみた。「芸は芸術。芸術の中でも、観《み》ている人の喜ぶ芸をさす。」「でも観ている人は、何もしなくても喜びますよ。」「本当にお前はだめだね。我が子孫とは思えない。元気な男の子だというだけで愛されてしまうこと、それはとても恥ずかしいことなんだよ。穴があったら穴熊でなくても入りたいくらい恥ずかしいことなんだよ。そんなことでどうする。お前は御殿に暮らしている。家柄もいい。もちろんホモサピエンスならば、お偉い人の孫だと言うだけで社長にでもお大臣にでもなれるかもしれない。でもホッキョクグマの世界では、そんなことは許されない。」

その夢を急に思い出して、クヌートはますます落ち着かなくなってきた。デビューというのは、芸を初めて観客に見せる日のことなんだ。後悔とはこういう気持ちを言うんだろう、多分。マティアスはどうして歌とか踊りとかを早く教えてくれなかったんだろう。自分だけ毎日ギターの練習なんかして、きっと今日は上手《うま》くギターを弾いて聴かせて、自分だけ観客の喝采《かっさい》を浴びるつもりなんだ。その隣で無芸の自分は指をしゃぶっているだけ。マティアスは本当にずるい。

メイク係のローザはうつむき加減のマティアスの顔を覗《のぞ》き込んで、「みなさん、メイクの方はどうしますか。テレビスタジオでは出演者は男性もみなさん粉くらいはふりますけれど、今日はスタジオではなくて野外撮影ですから、どちらでも」などと言いながら、パウダーをちらつかせた。マティアスは何も言わないで、そっぽを向いてしまった。ローザはあっさり諦《あきら》めて今度はクリスティアンに「あなたはいかがですか」と場違いに甘い声で訊いた。クリスティアンは頬を差し出して、「お願いします。ついでにクヌートにも白粉《おしろい》をお願いします。みんなに白いと思われているようですが、ごらんの通り、埃《ほこり》で顔が灰色になっておりますから」と答えた。

ローザはクリスティアンのつるつるした肌の上でパフパフと粉をはたきながら、「今日は、だいたい平均的な先進国首脳会議《ギプフェル・トレッフェン》の時と同じくらいの数のマスコミ関係者が取材に来るそうですね」と言ったが、クヌートはそれを聞いて、峯《ギプフェル》という響きの高く鋭く尖《とが》った感じが恐ろしくなって、戸棚の後ろに駆け込んで、一番奥の壁に身体を押しつけた。クリスティアンはさっと立ち上がり、戸棚の裏に長い腕を差し入れて、いとも簡単にクヌートを取り出して、「ああ、スターが雑巾になってしまった」と言いながら、クヌートの横腹から埃を払った。

その時、出陣前のマティアスを写真に収めようと気の早い報道陣が部屋に押しかけてきた。「この部屋には入《い》れないっていう約束じゃなかったんですか」と文句を言いながらマティアスはフラッシュが光ると何度もまばたきして肘《ひじ》で顔を覆《おお》った。クヌートは光など少しも怖くなかったので、落ち着いてカメラのレンズを睨《にら》みかえした。カメラマンは焦点がどこで合っているのか分からない、熟したスグリのように黒い瞳《ひとみ》に真っ正面から見つめられて、何か衝撃を受けたようで、そのまま凍りついてしまった。

しばらくしてはっと我にかえったカメラマンは、「クヌート本人は自分がスターだということを知っていますか」という質問でクリスティアンをいらだたせた。クリスティアンはきっぱりと、「ありえないことです」と否定したが、別のカメラマンが口を尖らせて、「でも、ほらポーズを取っていますよ」と言い返した。「それはあんたが勝手に自分の考えていることを投影しているからそう見えるだけで、クヌートは絶対にポーズなんか取っていませんよ。ホッキョクグマは人間には基本的に関心を持っていないんです。」「でもマティアスさんには関心持っているんでしょう？」「マティアスはただの人間ではありません。クヌートにとっては母親です。」「哺乳瓶《ほにゅうびん》さえ持っていれば誰でもいいんじゃないんですか。」「そんなことは決してありません。」クリスティアンは、ジャーナリストたちを相手に、スザンナという女性の話をし始めた。

スザンナは南ドイツのある動物園で哺乳瓶でヤンという名のホッキョクグマを育てた。ヤンの体重が五十キロを越えた頃、いっしょに遊んでやっていて引っ掻《か》かれ、スザンナは腕に深い切り傷を受けた。ヤンに悪気はなかったが、子供なので遊んでいると人間の肌の傷つきやすさなどつい忘れてしまう。スザンナ自身は怪我《けが》のことは全く気にしていなかったが、保険会社と動物園にヤンにさわることをとめられた。スザンナは悲しみのあまり仕事をやめて、高校生の時から片想《かたおも》いなのにずっと自分を想い続けてくれていた男性と結婚した。四年後、スザンナは女の子を産み、その子を入れた乳母車を押して動物園を訪れた。ホッキョクグマの檻《おり》のいるところへ来ると、遠くに自分の育てたヤンの姿が見えた。身体は見違えるほどがっしり育っていたが、顔を見るとすぐヤンだと分かった。スザンナはその場に釘付《くぎづ》けになった。乳飲み子だった頃のヤンのぐらぐら安定しない身体の重み、哺乳瓶をくわえる口の力、暖かみ、表情の揺れ、瞳の輝きなどが次々よみがえってきて、なかなかその場を離れることができなくなった。その時、強い春風を背中に感じた。風はスザンナのにおいをすくい上げてヤンのところへ運んでいった。するとヤンは急に鼻をひくひくさせ、ひどく興奮した様子で崖《がけ》の一番手前まで走ってきた。それから鼻をできるかぎり前に突き出し、いつまでも風のにおいを嗅《か》いでいた。ホッキョクグマは近眼なのでスザンナの顔は見えなかったかもしれないが、においは覚えていたのだろう。クリスティアンが話しているのを聞きながら、ローザが涙を手でぬぐった。

クリスティアンが話し終わると、部屋の外で人の騒ぐ声がして、ローザはなぜかあわてて部屋を出て行ったが、入れ代わり、前に一度見たことのある「園長」と呼ばれる男が背広を着て、熊のような男を伴って部屋に入って来て、クリスティアンとマティアスの手を握った。

園長は腕時計を見ながら、「公開時間は十時半から二時間ですね。その後が記者会見ですか」などと言いながら部屋をみまわして、「あれ、どこですか、地球温暖化ストップ大使は」と訊いた。マティアスはのろのろと戸棚の方へ移動し、裏をのぞいて、「クヌート、出ておいで」とまるで独り言のように言った。クヌートは出るのを嫌がってますます強くお尻を壁に押しつけた。「興奮しているようですから今はこのままそっとしておきましょう」とマティアスが上の空で説明した。

園長はみしみしと床を鳴らして近づいてきて戸棚の後ろを覗き込んだ。下から見ると鼻の穴の中に鼻毛が黒々と生えていて、それがクヌートを脅かした。あんな毛を生やしていないと汚い物を鼻から吸い込んでしまうくらい外の空気はきたないんだな。園長は鼻毛を見られていることに気がついていないようで、クヌートに向かって紳士風に、「わたしは君のことを大変誇りに思っているよ。我が動物園の運命は君の肩にかかっているのだ」と言った。熊のような男も遠慮がちに棚の裏を覗き込み、クヌートを見つけると顔をくしゃくしゃにして微笑《ほほえ》んで、「これは驚いた。うちの子と競えるくらい愛らしい子だ」という感想をもらした。

クリスティアンは戸棚の裏に身体をさし入れて、クヌートの身体をざっくり持ち上げ、二人の訪問者の目の高さで百八十度回してみせた。それから「あ、耳の中が汚れてる」と言って、ポケットから出した青いハンカチをくっとクヌートの耳に入れた。クヌートは身体をよじらせてクリスティアンにピンタを食らわそうとしたが、クリスティアンはさっと顔を遠ざけて愉快そうに、「いつも妻と練習しているので、ピンタを避けるのは得意なんです」と言った。

「環境大臣と環境大使が握手しているところを撮らせてください」と言う声がした。

クリスティアンがクヌートの片手を上手く摑《つか》んで差し出すと、熊のような男はためらいがちにその手を握って微笑んだ。フラッシュが何度もしつこく襲ってきた。

「準備完了です。ニューヨークタイムズの記者も到着しました。エジプト、南アフリカ、コロンビア、ニュージーランド、オーストラリア、日本からも記者が来ています」と入り口の方から興奮した若い男の声が聞こえると、二人の男たちはのっしのっしと部屋を出て行った。カメラを持ったホモサピエンスの半分はその後についていったが、あとの半分は部屋に残ってフラッシュをたき続けた。

マティアスは両手を頭上に挙げて、顔は床を睨んだまま首を左右に激しく振って言った。「申し訳ありませんが、そろそろ部屋を出てください。クヌートが興奮しすぎていると、今日初めてあのゲレンデに出ても、自由に遊ぼうとしないかもしれないので。」マティアスの声は弱々しく震えていた。どうして他の男たちは大きな声でどなるようにしゃべるのに、マティアスだけいつも声が弱いんだろう。それにしてもゲレンデってどんなところだろう。とにかくどこかへ出られると思っただけで、クヌートはわくわくしてくる。

ジャーナリストたちは「それじゃあ幸運をお祈りします」と言って部屋を出て行く時に、親指を内側に曲げてそれを他の四本の指でぎゅっと握ってみせたり、肩越しに唾《つば》をかける真似《まね》をしたり、それぞれ変な仕草をしてみせた。

部屋の中が急にしんと静まりかえった。「奥さんと子供は来ているの？」とクリスティアンに聞かれて、マティアスはうつむいたまま首を左右に振った。クヌートはなぜかほっとした。

クリスティアンに肩を叩《たた》かれてマティアスは毛布でクヌートを包んで抱き上げた。部屋を出て、建物の外に出て、知らない動物のにおいが各所に少しずつ残っているのを吸い込みながら、別の建物の中に入り、知らない舞台裏に入り、そこからマティアスが眩《まぶ》しそうに外を眺めているので、クヌートも首を伸ばしてみたが、岩場が見えるだけで遠景はぼんやりしていた。いろいろな声が聞こえてくるから、遠くに観客が集まっていることは確かだった。

マティアスは毛布で橇《そり》の形を作ってクヌートを乗せ、それを引きずって外に出た。クヌートはたまらなく愉快な気持ちになって、観客がいることも自分に芸がないことも忘れてしまった。引っ張られて、岩でできた見晴らしのいい遊び場に出ると、遠くでいっせいに歓声が上がった。歓声を上げているのは壁のように一列に並んだホモサピエンスだったが、クヌートの近眼の目では遠すぎて個々の顔は見えなかった。

マティアスは毛布の上でクヌートをそっと押し倒して、片手を押さえ、お腹を撫《な》でた。クヌートはますます愉快になって、身体をよじって起きあがり、マティアスの手にとびかかっていった。そんなことを何度も繰り返して、一度などは勢いがつきすぎて爪《つめ》がひっかかり、マティアスの手の甲から少し血が出てしまったけれど、マティアスはいつもみたいに「痛い」と叫んだりしないで必死で遊び続けた。クヌートはヤンがスザンナに怪我をさせたために二人が別れなければならなくなった話を思い出して不安になったが、マティアスに身体を毛布でぐるぐる巻きにされると、それをふりほどくことに夢中になって不安などすぐに忘れてしまった。観客の中から、「わあ、ソーセージ入りのクロワッサンみたい」と叫ぶ声がした。ソーセージになんか、なってたまるか。敵は毛布、毛布の戦略なら研究済みだ。クヌートは毛布を足で蹴飛《けと》ばし、嚙《か》みついて、勇敢に戦った。しかしマティアスが毛布の味方をして、一度はぐったり疲れて降参しかけていた毛布の端をまた巻き付けたりするので、なかなか勝利をおさめることができなかった。

クヌートはやっと毛布から身をふりほどいて走り出したところで、前足がもつれて転んで前に一回転してしまった。すると、これまでで一番大きな歓声があがった。ころころと転んだ瞬間に、外界がわっと一つになって笑ったのだ。その時クヌートの中で、ピエロ的な発見がきらめいた。あるいはそれは遺伝子の中で眠っていた知識かもしれなかった。

翌日、新聞を山のように捧《ささ》げ持って園長が部屋に訪ねてきた。「昨日は結局、ジャーナリストが五百人以上来たよ。ははは。環境大臣も驚いていた。ここまで注目を浴びるとは思わなかったんでね。」

クリスティアンは休みだった。マティアスは何も言わないで内気そうにうつむいていた。疲れているようで、園長が部屋を出て行くと、クヌートの毛布を自分の身体に巻いて、部屋の隅にまるくなって横たわった。毛布を奪われたことをプロレスを始めるきっかけと解したクヌートは喜び勇んでマティアスに襲いかかっていった。ところが、口をいっぱいに開けてマティアスの腕を嚙んでも、引っ掻いても、全く反応がなかった。そのうちクヌートは心配になってきて、髭《ひげ》の中に鼻をつっこんで、マティアスがまだ息をしているか確かめようとした。その時、「平気だよ、まだ死んでないから」と言う声がやっと聞こえた。

この日も、マティアスといっしょにゲレンデに出て、二時間遊んでみせた。遠くに壁のように並んだ観客たちは、何度も歓声を沸騰《ふっとう》させたが、手すりとお堀があるので近づいてくることはなかった。向こう側の世界に閉じ込められていて、こちらへ来ていっしょに遊ぶことのできない可哀想《かわいそう》な人たち。クヌートに触りたい、もっと近くで見たい、できることなら抱きしめたい、という気持ちだけが風に乗ってひしひしと伝わってきた。

あるポーズをとると、観客がわっと盛り上がる。どうしてなのかは分からない。翌朝も、その翌朝も遊んでいるうちに、どういうポーズを取れば観客が興奮するかが少しずつ分かってきた。でも、あまり大声で叫ばれるのも耳が痛くて嫌なので、クヌートは少しずつ盛り上げておいて最高点に達する少し前でまた引くコツを覚えていった。そうして波のように空中を漂うエネルギーの満ち引きを操作していると、全能を手に入れたようで痛快だった。

ある朝、マティアスはまだ暗いうちに新しい上着を着て現れ、息を弾ませて、「クヌート、きょうから毎朝、園内散歩に出ていいことになったぞ」と言った。散歩というのが、どういう遊びなのかは見当もつかなかったけれど、戸を開けてかっぽかっぽと歩き出したマティアスの踵《かかと》を追っていくと、ゲレンデではないところに出た。四方から知らないにおいがいくつも流れてきたが誰も歩いていない。

金網の向こうで、卵の黄身のようなピヨピヨした色の上着を着た小さな鳥が何羽か忙しく飛び回っている。声は知っていたが顔を見るのは初めてだった。たまに風に乗ってにおってくる、あの香りの持ち主は近所に住んでいるこの鳥たちだったのだ。檻《おり》の前では雀が何かついばんでいる。雀は自由にどこへでも行けるのに、檻の中にいるきれいな鳥たちには自由がない。

「この並びに住んでいるのは、みんなアフリカから来た鳥たちだ。どうだ、きれいだろう。赤や黄色の花が一年中咲きほこっている美しい国では、派手な色の服を着ていた方が目立たないのさ。工場ができ始めると、人間は灰色の服が着たくなってくる。」

クヌートは、その鳥たちを見ているうちに、自分だけが場違いな色をしているような気がして恥ずかしくなってきた。そう言えばマティアスもクリスティアンもこの鳥ほど派手ではないけれど、青色や緑色、茶色などの色のついた服を着ていて、白いのは下着だけだ。クヌートは白だけ、つまり下着しか着ていないようなものだ。だから鳥たちはクヌートを無視するのだろう。茶色いセーターを着てみたい。ジーンズをはいてみたい。

鳥たちが歌っている。被害妄想かもしれないけれど、それが「熊さん、熊さん、下着姿でお散歩」と歌っているように聞こえる。クヌートはその場で一度ころがってみた。砂が身体にくっついて、腕と肩と脇腹《わきばら》が少し茶色くなった。もう一度ころがって、今度は背中をすりつけてみた。ちょうどかゆかったところなので気持ちがいい。マティアスは振り返るとあわてて、「こら、何してる」と言ってクヌートを抱き上げた。「汚れちゃったじゃないか。まだカバのところへ行ってないのに、どこで泥まみれ転げ術を覚えたんだ。不思議だなあ。」

見慣れた岩場が手すりの遥《はる》か向こうに見える。「ほら、あれが君がいつも遊んでいるゲレンデだ。」いつも自分の踏んでいる岩場が、今は向こう側に見える。手すりに手をかけてみた。見物客たちの歓声が耳に戻ってきた。今、自分は反対側からいつもの遊び場を眺めている。反対側って何だろう。脳味噌《のうみそ》が頭の中で百八十度回転して、視点の中心が鳥になって空に羽ばたいていった。上を見ているうちに、なんだか周りの世界が違って感じられ始めた。そうだ、いつも空から眺めていれば、反対側に来たからといって、おたおたする必要はなくなるんじゃないのか。「クヌート、何見てる？　北極星でも捜しているのか。もう朝だから、いくら見ても空には太陽しかないぞ。行くぞ。」

手すりに沿って歩いて行くと、木の杭《くい》と藁《わら》で作られた柵《さく》が始まり、その奥に金網が見え、そのまた向こうは草地になっていて、そこに白い犬が数匹、輪になってすわって休んでいた。顔は貴族的にほっそり彫り込まれ、脚は骨張っていて、決して強そうではない。同じく白い下着を着た下着属だ。「こっちへ来ればもっとよく見えるよ。カナダから来た狼《おおかみ》の家族だ。」クヌートはマティアスに手招きされて、ガラスの壁の前に出た。

クヌートの姿を見つけると、一番強そうな雄が鼻のまわりに皺《しわ》を寄せ、奥歯を見せて低く唸《うな》って身を起こし、近づいてきた。それを聞いて隣に寝そべっていた牝《めす》が声を合わせて唸り、斜め後からついてきた。するとまわりの仲間たちも次々身を起こして、三角形に体制を組んで近づいてきた。まるで数匹が結束して一匹の動物にでもなっていくように見えた。あれならば個々の狼は強くなくても、四方から敵に襲いかかって嚙みつくことができるんだろう。クヌートはぞっとして、横にいるマティアスの脚の間に潜り込んで身を縮めた。「平気だよ、ガラスの壁の向こうは深い溝《みぞ》になっている。狼はここへは来られないから。」狼たちは溝の手前で立ち止まった。「そうかクヌート、君は狼が苦手か。その気持ちは分かるよ。狼は結束が強いからね。いつも群れをなして行動する。ヨソモノが入ってくると殺してしまうことがあるくらい厳しく内と外を区別する。だから、ああいう態度を取るんだよ。悪意はないんだ。君たちホッキョクグマは一匹狼だから、彼らの気持ちは分からないだろうけれど。」

少し先へ歩くと、目の前に大きな岩場が現れたが住人は留守だった。「あそこにはツキノワグマが住んでいるんだが、外に出てきていないね。時差ぼけでまだ寝ているのかな。アジアの熊なんだ。それからあっちがマレーグマ。マレーシアもアジアにある国だよ。」

つまり美しい鳥のいるところがアフリカで、熊たちのいるところがアジアで、その間にある狼のいる危険な場所がカナダということなんだろうか。

部屋に帰るとすっかりお腹がすいてしまっていて、お椀《わん》に顔をつっこんで夢中で食べたら、勢いがつきすぎて、むせた。「おいおい、ゆっくり嚙んで食べろよ。」嚙んでと言われても、クヌートの食事には、あまり嚙むものは入っていなかった。養育者たちは、消化によい物をどんどん食べさせてなるべく早く身体を大きくしてしまえばそれでもう死ぬ心配はないと思っているのかもしれない。熊はホッキョクグマに限らずみんな生まれた時は驚くほど小さい。冬眠中だから小さく産むのが賢いのだとクリスティアンが言っていた。それなのに、小さかったことへの焦《あせ》りがどこまでもつきまとうようで、クリスティアンが毎日どれだけ体重が増え続けているかを強調しても、「ホッキョクグマの子はとても育ちにくいそうですが、まだ死んでしまう危険は大きいんでしょうか」という質問が絶えない。クリスティアンは何度同じ質問を受けてもあっさりと、「いいえ、もう死んでしまう危険は全くありません」と答えてクヌートを安心させた。「どういう観点から見ても危険はないんですか。」「ありません。」「死ぬ確率は0パーセントですか。」なんだかジャーナリストたちはクヌートが死ぬことを密《ひそ》かに期待しているみたいだった。「もちろん0パーセントということはありえません。だって、我々だっていつ死ぬか分からないんでしょ」と答える時のクリスティアンは少しいらだっているようだった。

「クヌートが死ななかったのは全く奇蹟《きせき》だ。」園長が部屋に来てクリスティアンと話しているうちに、しみじみとそう言ったこともあった。そうか、死なないのは奇蹟なんだ。クヌートは後ろから頭をぽんと殴られたような気がした。クリスティアンがほどほどに頷《うなず》いてみせてから、「でも、人間の手で育ったホッキョクグマの数は意外に多いんですよ。この間調べたら、ドイツだけでもここ二十五年くらいの間で七十匹くらいいるそうです」と言うと園長は咳払《せきばら》いして、「そういう統計はこちらからジャーナリストに話す必要はない。他にも似たような運命を辿《たど》った熊がいるのにクヌートだけが騒がれるのは偶然ではない。一度死んでから生き返ったと言われる人間はたくさんいるのにイエスだけが騒がれるのと同じだ。クヌートは特殊な星の下に生まれたということだ。みんなの希望の象徴となる義務を背負って生まれてきたんだ」と演説をぶった。

「開園前の散歩だ」と言う時、マティアスはとても嬉《うれ》しそうだった。開園というのはどこかに門があって、そこが開いて、関係のない人たち、つまりマティアスやクリスティアンや園長やクヌートのように動物園《ツォー》で働いている者ではなく、それ以外の外部の者たちが動物園に入ってくることを言う。もっと正確に言えばこの開園時間によってコントロールされているのはホモサピエンスだけで、雀、鴉《からす》、ネズミ、猫などは開園時間には関係なく自由に出入りしている。

クヌートを見たがっている人が跡を絶たないので、開園直後二時間と時間も決めて、クヌートがゲレンデで遊ぶ時間を毎日設けることが正式に決まった。これをクリスティアンは皮肉に「ショー」と呼んでいた。

ジャーナリストたちはこれを「自由行動《フライガング》」と呼んでいたようだが、クリスティアンがマティアスに「自由行動《フライゲンガー》する人というのは、昼間は労働に従事して、夜は監禁される種類の囚人のことだ。彼らの自由時間というのは、労働時間なのさ。ショーという呼び方の方がまだましだろう」と言って苦笑していた。

ショーは楽しかったけれど、勉強にはならなかった。それに比べて開園前にマティアスと二人だけで楽しむ散歩はとても勉強になった。もちろん動物園という場所はとてつもなく大きくて、前を通り過ぎるだけで言葉を交わせなかった生き物もたくさんいた。キリンや象は遠景をゆっくり揺れながら移動して行く影にすぎなかった。虎《とら》は、緑の庭園を右へ、左へ、右へ、左へと機械のように行き来するロボットだった。アザラシはテカテカ黒く魅力的に輝いていた。それを見てクヌートがあやうく柵の下をくぐって、飛びかかっていきそうになった。間一髪というところでマティアスが引き留め、それ以来アザラシのところへは連れて行ってくれなくなった。ホモサピエンスとそっくりな動物もいた。

朝の散歩の習慣にすっかりなじんだ頃、クリスティアンの来ている時間に園長が部屋に来て、「朝の散歩を取材させて欲しいという申し込みが殺到しているが、どうしよう」と相談をもちかけた。「こんなに頻繁に新聞にクヌートの記事が載るようになったのは君たちのおかげだ。インターネットでは、クヌートのことだけを報道するサイトもできている。でも新しいニュースがないとニュースにならない。そこで来週あたりはクヌートの散歩、その次の週は、クヌートの水泳教室という風に盛り上げていきたいんだが。」マティアスは唾《つば》を呑《の》んでうつむいた。クリスティアンはマティアスを庇《かば》うように前に出て、「もう少しだけ待つようにマスコミ関係者の方々にお願いしてください。散歩中にカメラに驚いてクヌートがヒグマのお堀に落ちたりしたら大変ですから。それに、朝の散歩のことを知って熱狂的なファンが開園前に塀を乗り越えて入って来たらどうします。熱狂的なファンというのは恐ろしいものですよ。運が悪ければ、クヌートもジョン・レノンみたいに……。」そこまで聞くと、園長はもう分かったという風に左手を鼻先で振って、部屋を出て行った。

散歩に出ると毎日、新しい種族と知り合いになることができた。肌にぴったりついた色っぽいポロシャツを着ていて、木の上にすわっている奴がいた。「マレーグマに話しかけてみたら」とマティアスが言った。気取っていないし、残酷そうにも見えないので、おそるおそる「今日も暑いな」と声をかけてみると、「暑くないよ。寒いよ」という返事をあっけなく返してきた。「君はそんな薄着をしているから寒いんだろう。クヌートを見ろ。いいセーターを着ているだろう」とクヌートが言いかえすと、マレーグマは顔を皺だらけにして笑って、「お前は自分を自分でクヌートと呼んでいるのか。はっはっは。三人称の熊か。これは愉快だ。それとも、君はまだ赤ん坊なのか」とからかった。あんまり腹が立ったので、金輪際マレーグマと話をするのはやめようと思った。クヌートだからクヌートと呼んでどこがおかしい。でも、他人に言われたことの中には、一度気になり始めるとそれ以外のことが考えられなくなることがある。

あらためてマティアスとクリスティアンの会話に耳を澄ましていると、確かにマティアスは自分自身のことを「マティアス」とは呼んでいない。「マティアス」というのは他の人がマティアスを呼ぶ時に使う言葉で、本人は使っていない。これまで気がつかなかったが、何と不思議な現象だろう。それでは自分のことをどう言っているかよく聞いていると、「わたし《イッヒ》」と言っている。しかも驚いたことにクリスティアンも自分自身を「わたし」と呼んでいる。みんなが自分自身のことを「わたし」と呼んでいて、それでよく混乱しないものだ。

　翌朝散歩に出るとマレーグマはまだ奥の穴の中で毛布をかけて寝ていたが、隣人のツキノワグマは岩の上に出ていた。早速「わたし」という言葉を使ってみることにして、咳払いして関心を引いてから、「わたしはクヌートという者だが」と言うと、ツキノワグマは小さな目を凝らしてじっとこちらを見て、「カワイイ！」と叫んだ。「カワイイ」というのは、ひょろひょろしたホモサピエンスの若い牝たちが主に使う言葉なので、岩のようなツキノワグマまでそんな言葉を使うなんて意外だった。「それは何語なんですか？」「わたしの祖母が生まれたサセボという国で話されている言葉。でもここでも時々聞く言葉よ。」「それで意味はどういうこと？」「取って食ってやりたいくらい愛らしいっていうこと。」

これを聞いて、わたしはあわててその場を立ち去った。ツキノワグマに食われてしまうなんてごめんだった。マティアスは動物の言葉は分からないらしく、ゆっくりとわたしの後を追いながら、「おい、クヌート、どうした？　そんなに急がなくてもいいよ。それにしてもツキノワグマ《クラーゲン・ベア》はそろそろ襟《クラーゲン》をクリーニングに出した方がいいと思わないか。汚れているだろう。でもそれを言ったら、君をまるごと洗濯機に放り込む方が先だな。君はどうして砂の中でころげまわるようになったんだい。保護色のつもりかい。ベルリンの冬は灰色だからな。北極の冬は真っ白できれいだろうなあ」と言って笑った。

　それにしても、取って食いたいほどカワイイというのはどういうことだろう。あいつの故郷のサセボ国では、カワイイものを食う習慣でもあるのか。わたしは美味《おい》しそうな食べ物を見てもカワイイとは感じない。わたしにとってカワイイものと言えばまずマティアスだが、マティアスを食べたいとは思わない。つまり、可愛《かわい》いことと美味しいことはわたしの中ではどうしても結びつかないということだ。

　散歩は勉強にはなるけれど、勉強というのはどうも心に傷を残すことも多く、帰るといつもくたくたになっていた。自分のことを三人称で呼ぶのは赤ん坊だとか、取って食ってやりたいとか、とにかく他者の言うことを聞いていると、我が身の危険を感じずにはいられない。しかも「わたし」という言葉を使い始めてから、他人の言葉が身体にまともにぶつかってくるようになってしまった。

疲れて眠い時には、マティアスと二人きりでいられたらどんなにいいだろうと思う。二人きりでいると、まるで一人みたいで、「わたし」という名の新しい重荷を肩から下ろすことができる。でも一眠りしてまた元気が回復すると、マティアスと二人だけで遊んでいるよりも、外の世界に出ていってみたくなる。

一度だけ、カメラマンが一人散歩についてきたことがあったが、あまり気にならなかった。大勢来たら危険だとクリスティアンが頑張ってくれたので、結局撮影は一人ということになったようだ。この時に撮った映像はテレビのニュースで報道されたので、わたしも見ることができた。クリスティアンが感心したようにマティアスに言った。「撮影されていると分かっていて、よく自然に振る舞えるな。クヌートは本当に育つのかと何十万人という人たちが汗ばんだ手の平を握りしめて祈っているのに、君は拾ってきた雑種の犬と散歩でもしているみたいに見えるよ。」「クヌートが拾ってきた雑種の犬だったらどんなにいいだろうと思うよ。」「でもね、スターも大切だよ。スターがキャンペーンをやれば、社会に影響を与えることができる。クヌートにはジャンヌ・ダルクになって、地球温暖化ストップの旗を掲げてデモの先頭に立ってほしいんだ。」

散歩はとても勉強になったが、ショーは仕事だった。どうすれば観客が退屈しないかを本能的に割り出して動こうとするのだが、それがなかなか複雑で、あまりわざとらしかったり、計画しすぎたりすると、かえって受けないようだ。同じ事ばかりしていると飽きられてしまうが、面白い動きが続きすぎるとそれはそれで観客というものは笑わなくなるもので、波を作って攻めていって、向こうがざわめいたら、さっと引く。静まりそうになったら、また攻めていく、という風に組み合わせていくのがいいようだ。

ヒグマ、ツキノワグマ、マレーグマ、ナマケグマが並んでいる道をわたしは密かに「熊通り」と呼んでいた。この熊通りを行き来することで、自分とヒグマとツキノワグマとマレーグマとナマケグマが共通して持つ漠然としたイメージをマティアスが「熊」と呼んでいるらしいことも分かってきた。

どの熊も奥に寝室があって夜はその中に引っ込んで寝るようで、朝になると正面にあるプール付きの広い岩のテラスに出てくる。

パンダという種類の熊だけはちょっとはずれたところで暮らしていて、テラスはなくて、竹藪《たけやぶ》に囲まれた檻《おり》の中にいた。「クリスティアンはね、熱心にヤンヤンというパンダの世話をしていたのに死なれてしまって、とても悲しんでいた。多分、君のおかげでやっとその悲しみから立ち直ったんだよ」とマティアスが教えてくれた。何かがいなくなって寂しくて、そのうち代わりに別の何かがきて立ち直る、という感じを思い浮かべてみようとしていると、パンダが笹《ささ》の葉を食べるのをやめて、わたしの方をじっと見た。「あんたもなかなか可愛いね。でも気を付けた方が良い。可愛いというのは絶滅の兆《きざ》しかもしれない。」わたしはぎょっとして、「それはどういうことですか」と訊《き》いてみた。「絶滅しそうだから、絶滅させてはいけない、と人間に感じさせる必要がでてくる。だから自然がわたしたちの顔を可愛く変貌《へんぼう》させる。ネズミを見てごらん。人間に憎まれても全く気にしていない。絶滅の危機にさらされてないからだよ。」

わたしは散歩に出る前はいつも少し緊張している。どんなひどいことを言われるかわからないからだ。それとは逆にマティアスは朝散歩に出る時は肩も背中も柔らかくほぐれていて、ふくらはぎに力が溢《あふ》れている。そのかわり散歩が終わってショーの時間が近づくと、そわそわし始め、そんな時、背中に飛び乗ると、肩が凝ってとても堅くなっている。一方わたしの方はショーは成功するに決まっているので、散歩よりも緊張しない。

ゲレンデに出ると、マティアスは一瞬も休んではいけないと思っているようで、次々遊びを仕掛けてくるが、自分が遊びたくて遊んでいるのではなくて観客を喜ばせようと必死になっているのが分かる。プロレスごっこはマティアスの手のぬくもりが直接感じられて何度やっても、どんな風にやっても飽きるということがないが、問題はボール遊びだ。「どうだ、クヌート」と言って、マティアスがボールを投げてくれるのは有り難いけれど、わたしはどのボールでも好きというわけではなく、たとえばあの「グロバリゼーション、イノヴェーション、コミュニケーション」と書いてある黄色いボールは、信用できないゴムのにおいがするので触りたくもない。でもそのボールは偉い人からの贈り物だそうで、わたしがそのボールを無視すると、マティアスは目に見えて焦《あせ》りだす。マティアスが気の毒になって、わたしはボールに飛びかかっていくが、抱きつくのは嫌なので、手でぱんとはね飛ばす。すると予想通り観客が歓声をあげる。

マティアスが次に赤っぽい地味なボールをころがしてわたしにぶつけたので、わたしは両手で受け止めて、そのボールを抱いたまま、仰向けにころがって、脚で軽く蹴《け》る真似《まね》をした。観客はざわざわと満足し、期待のときめきを持続させたまま目を凝らす。その期待にどう答えたらいいのか思いつかないので、そのまま寝転んで休んでいると、「いつまでも寝てないで、シュートを決めてくれよ」と観客の一人が野次を飛ばし、どよめくような笑い声がそれに続く。

このままではいけないと思うのだが、どうしていいか分からないので、寝そべったまま両手で抱えたボールを蹴っていると、油断した隙《すき》にボールが手を離れて飛んでいって、岩のスロープをころころ転がっていって、岩場の下に作ってあるプールに落ちた。ボールが水に落ちたのを見てホモサピエンスたちは、わっと喜んだ。他愛もないものだ。

その時、わたしは悟った。意外なことが起こることが一番面白いのだ。わたし自身、ボールが水に落ちることを計算に入れていなかった。だからいいのだ。「水に飛び込んでボールをとってきて」と小さな女の子が頼む声が聞こえたけれど、まだ水泳の授業を受けていなかったので、水に入るのはやめておいた。

「お前はなかなか面白いことをやるね。見直した。」白く輝く毛皮をまとった美しい老女が夢の中に久しぶりで現れて、誉《ほ》めてくれた。相変わらず大きな身体をしていたが、近づいて向かい合って立つと、わたしも少し背が伸びたなと思った。「誰にも教わらないで、たった一人で舞台を作っている。しかも、めずらしいことをやってみせるだけではなく、普通に遊んでいて、それが面白く見えるように工夫している。これは新しい芸術かもしれない。」「あなたは一体誰なんですか。わたしの祖母ですか。」「そう簡単なものではない。祖母とそれ以前の祖先が何代も何代も重なって見えているのだ。正面から見たら一人にしか見えないだろうが、一人ではない。祖母もその母もそのまた母も入っている。」「わたしのお母さんも、ですか。」「わたしは死んだ女たちの代表だ。お前のお母さんはまだ元気で生きているではないか。どうして逢《あ》いに行かない？」

マティアスはショーが終わって部屋に戻るとほっとするようで、コーヒーを入れて、持ってきた新聞を広げる。新聞なんて、くしゃくしゃにまるめて蹴飛ばしたり裂いたりして遊ぶ玩具《おもちゃ》かと思っていたけれど、マティアスが毎朝わたしの面白がりそうな記事を声に出して読んでくれるので、新聞は読む物だという印象がだんだん強くなっていった。

新聞には奇抜な発想の物語がたくさん載っている。ある動物園で、死んだ鰐《わに》やカンガルーの肉を密《ひそ》かに珍味レストランに売って財政の助けにしていた、というスキャンダル記事を読んでもらった時には、「取って食ってやりたいほどカワイイ」というツキノワグマの言葉が思い出されてぞっとした。マティアスが溜息《ためいき》をついて、「可哀想《かわいそう》だなあ。同情するよ」と言うので、ステーキにされたカンガルーに同情しているのかと思えば、どうやらそうではないらしく、「どこの動物園も財政が苦しいんだなあ」と付け加えた。マティアスが読んでくれるのを聞きながら新聞を眺めているうちに、だんだん自分でも字が読めるようになってきた。初めに覚えたのは「Zoo《ツォー》（動物園）」という単語に二度も出てくるOの字だった。

毎日手紙や郵便物が届くようになってきた。マティアスは次々開けては中味にさっと目を通して、新しく買った大きなゴミ箱の餌《えさ》にしてしまった。箱が届くこともあった。「ファンからのプレゼントだけれどね、チョコレートは君の身体には悪いから慈善団体に回すよ」などと言ってわたしには食べさせてくれない。

ある日マティアスが特別大きなチョコレートの詰め合わせを持って部屋に入ってきた。と思ったら、どうやらチョコレートではなく、開けると中にテレビのようなものが入っていた。「これ、何か分かるか。ほら、ここに君の名前を書き入れて、ゴー！ほら、これ全部、君の映像だよ。インターネットで見ることができるんだ。」マティアスがかたかたキーを叩《たた》いているうちに、白い動物が岩の上でころがっている映像が現れた。見ているうちに、だんだん、自分がここにはいないような気がしてきた。「分かるか。これが君だよ。カワイイだろう。」ああ、マティアスまであんなことを言って、自分がここにいるのに映像の方のクヌートに魅入っている。何てことだ。あれがクヌートならば、ここにいるわたしはもはやクヌートではない。

しばらく見ているとクリスティアンがやつれた顔をして部屋に入って来て、「ついにコンピューターの導入かい」と訊いた。マティアスは額に皺《しわ》を寄せて、「実は今日、ファンレターに答えてくれないかって動物園の広報部に頼まれたんだ。最近のファンって言うのはね、スターに一方的に熱を上げるんじゃなくて、スターに自分を見てほしいんだって。だから自分を無視するスターを殺してしまいたくなることもあるらしい。クヌート宛《あ》てのファンレターは毎日百通以上来る。もちろん全部ではなくていいから、できるだけ答えて欲しいって言われたんだ。たとえば、ほら」と言って、何通か読みあげた。「小さな熊さん、わたしはメリッサ。三歳です。寝る時いつもあなたのことを考えています。」「クヌート氏へ。北極の氷がこれ以上溶けないように、電気自動車を買うつもりです。フランク。」「来年七十歳になりますが、あいかわらず雪山歩きが趣味で、山に行く時は、お守りに貴方《あなた》の写真を持って行きます。ギュンター。」「編み物が趣味です。セーターを編んで送りたいのですが何色が好きですか。マリア。」英語で書かれたメールはマティアスが訳してくれた。「英語でごめんね。君は英語はできるの？　北極の住人たちは何語を喋《しゃべ》っているの？　ジョン。」マティアスは面白がってクヌートの顔を覗《のぞ》き込んだが、わたしはメールとかファンレターというものは、どこが面白いのか、よく理解できなかった。

散歩していて気がついたことだが、こちらが関心を持っていつまで眺めていても向こうは関心を持ってくれない生き物は多い。美しいアフリカ生まれの鳥たちはいくら眺めていても、わたしには何の関心も持ってくれなかった。カバとサイもゆっくりした歩き方がとても魅力的だったが、決してこちらを見てはくれなかった。それに対して、ツキノワグマとヒグマの牝《めす》はわたしの通る時間になると、めかしこんで外で待っていて色目を使うので怖くて仕方なかった。

クリスティアンのおかげで、わたしにも牝というのがどれほど危ないものかが分かってきた。ジャーナリストに「哺乳瓶《ほにゅうびん》で育った青年熊が、牝にうまく言い寄れなくて、叩かれて大けがをしたという話もありますが、クヌートは平気ですか」と訊かれるとクリスティアンは胸を張って、「安心してください。牝に攻撃されたくらいでは怪我《けが》をしないくらい大きくなってからでなければ、牝といっしょにしたりはしませんから」と答えた。と言うことは、わたしは哺乳瓶で育てられたせいで女性に誤解されるような態度を取る危険があるということになる。しかも今の身体のサイズで女性に近づけば怪我をするかもしれないとクリスティアンは考えているのだ。

翌朝、散歩で通りがかると、ヒグマの牝が大胆に駆け出てきて、「ちょっと待って。いつも、そんな逃げなくてもいいでしょう」とからんできた。マティアスが立ち止まったので、わたしは仕方なく足を止めた。「あんたたちホッキョクグマは、そのまま自分たちだけで近親相姦《そうかん》していると滅びてしまうよ」とヒグマが言った。マティアスにも熊の言葉が分かるのか、それとも波長が熊と合うので同じような考えが浮かぶのか、「最近は自然の中ではホッキョクグマと他の熊の混血も増えているそうだよ。もちろん動物園ではそんなことはしないけれど。ホッキョクグマは生活圏が狭くなってきて、これからは南下していくんだろうね」と言った。ああ、南下なんてご免だと思っていると、ヒグマの牝がこちらに鼻を突き出して言った。「国際結婚は増えているんだよ。純血種は必ず滅びる運命にある。だから今度あたしとやってみてはどうかね。」

マティアスはクヌートとヒグマの顔を見比べながら、「ヒグマとは親戚《しんせき》関係にあることを本能的に感じるかい？　ヒグマとなら結婚できるよ。マレーグマなんかは親戚と言っても、もう少し遠い親戚だから結婚はあきらめた方がいい。でもヒグマなら結婚できるよ。」

わたしは、やせっぽちでみすぼらしいマレーグマなんかとは絶対に結婚したくないと思った。わたしは大きくなったらマティアスと結婚してずっといっしょに暮らしたい。ホモサピエンスと熊は、結婚できるくらい遺伝子が似ているのかどうか、その点についてはマティアスは何も説明してくれない。マレーグマのゲレンデの前でもう一度、マティアスとマレーグマと自分を見比べてみる。どうみてもわたしはマレーグマよりもマティアスと似ている。

「どうだい、三人称の熊君は三角関係で悩んでいるんじゃないかね」などと自分が見られていることを意識しながら、生意気なマレーグマが木の上から声をかけてきた。その口調に腹が立ったので、「誰のこと?」と冷たく訊きかえすと、「君とマティアスとクリスティアンのことさ」と鼻のまわりにふてぶてしそうな皺を寄せて答えた。「わたしたち三人、とても仲良くやってます」と言い返すと、「でもマティアスやクリスティアンが動物園の外で誰を愛しているか、君は全然知らないんだろう」などと嫌なことを言う。しかも目を潤《うる》ませて、こんなことを付け加えた。「僕には来月、お嫁さんが来るんだよ。」「マレーシアから来るんですか。」「まさか。ミュンヘンから来るんだよ。」

一人になってから、わたしはすっかり考え込んでしまった。マティアスは動物園の外でいつも何をしているのか。せっかく外に出られたと思って喜んでいたけれど、動物園にはまたその外があるのだ。外には外がある。どこまで行ったらそれ以上、外に出られないくらい究極の外に行き着くんだろう。

夜の間に雨で洗われた空気を吸いながら散歩していると、脇《わき》の茂みからちょろちょろとトカゲが出てきて、ぴたっと止まり、がに股《また》の四肢をすばやく動かして前へ進み、また止まり、ということを繰り返しながら、結果的には弧を描いてまた元の茂みに隠れてしまった。「あれが恐竜の子孫だ」とマティアスが教えてくれた。「彼の先祖は巨大な身体をしていてね、象より大きかった。だから、わたしたち哺乳類は彼らを恐れて、昼間は外に出られないくらいだったんだ。」わたしは信じられない思いで、巨大なトカゲを想像してみた。驚いたことに、わたしにはまだみたことのない恐竜というものの姿がはっきり想像できてしまった。それどころか、数日後にまた同じようなトカゲが出てきた時には、象の大きさで網膜に迫ってきたので、恐ろしさに飛び上がってしまった。マティアスはそれを見て笑いもせずに、「怖いの？　でも、怖いものがあるということは想像力があるということだよ。何も怖くない奴は頭の鈍い奴だ」と言って遠くを見た。頭の鈍い奴って、誰のことだろう。

わたしとマティアスはトカゲから目を離さなかった。意地悪そうな尻尾《しっぽ》の先がピロッと茂みに隠れてしまうと、わたしはほっとした。「哺乳類は心配事が多いのさ。それがわたしたちの特徴だ」と言ってマティアスは溜息をついた。

ある日クリスティアンが心配そうに、「君、家族は元気にしているのかい」とマティアスに訊いた。「元気だよ。でも家に帰ると疲れているせいか、自分の子供の気持ちがよく分からない。」「君はきっと熊の気持ちの方がよく分かるんだろう。」「比較はいけないよ。」「それにクヌートには何でも話しているが、奥さんには隠し事があるんだろう。」「ないよ。」「君はいい奥さんと子供を持って幸せだな。」「君だって同じだろう。」わたしは聞いてない振りをしていた。

熊通りをまっすぐ行くと池に橋がかかっていて、橋の上でしばらく待っているとあひるが泳いでくることがある。ある時、あひるの後ろに小さいあひるが三羽泳いでいるのを見てマティアスが言った。「あひるの子はあひる。生まれてすぐに泳げるんだからすごいよな。でもクヌート、君は練習しないと泳げないようだな。盥《たらい》に入ったことはあっても、まだプールに入ったこともないだろう。」あひるの子は親の後ろ姿を見失うまいとして、水の中で必死に脚を動かしていた。「子熊は母親がつきっきりで二度冬を越す。生きていくために練習しなければならないことがたくさんあるんだ。そう言えばロシアには、熊の毛皮を被《かぶ》って、熊のお母さんになりきって、子熊を連れて二冬越した動物学者がいたなあ。その子熊の母親は確か、猟師に殺されてしまったんだ。まだ我々には水泳するには寒すぎる季節だが、そろそろ君に水泳を教えてやらないとなあ。」

マティアスは翌朝、散歩に出る代わりに海水パンツに着替えて、わたしを連れてゲレンデの下の方にある水の中に飛び込んだ。すると水面はめちゃくちゃになって割れて、中にマティアスを包み込むとまた平らな水面が現れた。マティアスはあひるのように首がちゃんとしたところに付いているわけではないから、今にも沈んでしまいそうになりながら、細い腕でばちゃばちゃ水をかいている。わたしを安心させようとして顔は笑っているけれど、そのうち溺《おぼ》れることは間違いない。わたしはおろおろと水《みず》際《ぎわ》を行ったり来たり。マティアスは、「おいで、おいで」と手招きしている。わたしには水に飛び込んで助ける勇気がなかった。そのうちマティアスが頭を左右に振りながら水の中から出てきたので、ほっとした。ところがそれもつかの間、マティアスは顔だけこちらを見ながらまた水の中に飛び込んでしまった。本当にどうかしている。

随分迷ったけれど仕方なく、思い切って飛び込んでみたら、よく知っている物質に身体を抱き留められた、と感じたから不思議だ。水。わたしは水を知っていた。

水の中で暴れるのは痛快だった。途中、鼻に水が入って痛かったり、やたらに水をかき回しすぎて腕の筋肉が疲れたりしたものの、マティアスに「もう終わりだ」と言われても、水の外に出る気になれなかった。そのうち眠くなってきたので、やっと外に這《は》い上がって出て、ぶるぶるっと身体を振ると水しぶきが飛んで、身体は乾いた感じになった。

「水泳というのは楽しいものです」と翌日さっそくマレーグマに自慢してやると、マレーグマはお腹をぽりぽり搔《か》きながら、ふんとそっぽを向いてしまった。「ばかばかしい。わたしには泳いでいる時間などない。今ちょうど、マレー半島の歴史をマレーグマの視点から書くという大事業に取り組んでいるところだ。」わたしはあのマレーグマがモノカキをしているとは知らなかったので、くやしさも忘れて、「マレー半島というのは遠いんですか」と訊いてみた。マレーグマは馬鹿にしたような顔をして、「遠いよ。でも君にとって遠いというのはどのくらい遠いことを言うのかね。北極にも行ったことはないんだろう」と鼻先にせせら笑いを浮かべた。「どうして、わたしが北極へ行かなければならないんですか。」「あ、立派に一人称を使ってしゃべってるね。いや、三人称の赤ちゃん熊が懐《なつ》かしいなあ。ホッキョクグマも文明ずれしてしまうと退屈だ。いやいや、これは冗談、冗談。別に北極に行かなくてもいい。でも北極は消えかけているんだよ。気にならないのかい。わたしだって自分が生まれたわけではないが、祖先の住んでいた地方の将来を心配して、マレー半島における多文化共存の歴史と可能性について研究しているのだから、君だって北極について少しは考えてもいいんじゃないか。散歩と水泳とボール遊びばかりしてないでさ。」「わたしの祖先は北極ではなくて東ドイツの出身です。」「へえ、千年前に生きていた祖先も東ドイツに住んでいたのかい。君には全く呆《あき》れるよ。」

マレーグマと違ってナマケグマは、初めて話した時は親切だった。「昼寝日和《びより》ですね。」「ああ、本当にいい天気だね。」確か、そんなような会話を交わしたと思う。ところがその同じナマケグマが二度目に顔を合わせると厳しい声で、「君は意味もなくその辺を歩き回ったり、ショーをやってみんなを喜ばしたりしている。そんな人生に意味があるのか」とつっかかってきた。「そう言うあなたは一体どういう有意義なことをして毎日を過ごしているんですか」と訊き返してやると、「怠けているのさ」という答えが返ってきた。「怠けるというのはとても立派な仕事で、しかも勇気のいることだ。君はみんなの前で遊んでみせることを期待されている。遊びを怠けて観客をがっかりさせる勇気があるか。君は毎朝楽しい散歩にでかける。その楽しさを諦《あきら》めて、怠けて部屋に残るだけの意志の強さがあるか。」

そう言われてみると、わたしには観客とかマティアスをがっかりさせる勇気などない。外からの誘いを全部断って意識的に怠けてみようなどという高尚な志はどうしても持てない。

他の動物たちと話していると、自分の生き方に自信が持てなくなってくる。カナダの狼《おおかみ》は初めに見た時から怖かったので姿が見えるとなるべく離れたところを通るようにしていたが、ある時柵《さく》の近くにボスが立っているのを見逃して、近くを通り過ぎたために、声をかけられてしまった。「おい、お前はいつも一人でうろついているが、家族はいないのか。」「いません。」「母親はどうした。」「マティアスです。ほら、先を歩いています。」「おまえとマティアスは全く似ていないではないか。きっと、赤ん坊の時にさらわれたんだろう。うちの家族を見ろ。みんなそっくりだろう。」マティアスが振り返って戻ってきて言った。「狼はきれいな容姿をしているね。ほっそりしていて。でも熊の方が好きだな。知っているかい。狼は、誰が一番強いかを決めるために喧嘩《けんか》を繰り返す。しかも、群れの中で一番強い雄と雌しか子供を作らない。なんか嫌だろう。」マティアスが狼の言葉を理解できないのと同じで、狼にはマティアスの言葉が理解できないようだった。

そんな嫌な奴の言うことなんか気にしなくてもいいのかもしれないけれど、どうしても気になってしまう。マティアスと似ていないとか、さらわれたとか。その日は一日中、そのことばかり考えていた。

新聞にはよくわたしに関する記事が載っていて、クリスティアンが切り抜いた記事を持ってくると、マティアスが声を出して読んでくれる。夜、自分で読み返してみることもある。「クヌート水泳教室、いよいよ開始」などと書いてある。自分のことがそこに印刷されているということで、自分の一部をさらわれたような気がして落ち着かない。わたしが泳いでいる時にはクヌートはその泳いでいるわたしのところに存在すべきであって、次の日の新聞の中に存在するべきではない。それというのも、みんながクヌートという名前を知ってしまったから、その名前を勝手にどこへでも持って行って、好きな時に使うのだろう。

ある日、ひどく気になる記事を読んだ。この記事を読んで以来わたしは毎日、新聞を読むようになった。「生まれてすぐに母親に育児拒否されたクヌートは、人間の手で乳を与えられて育った。今でも水泳など生きていくための技を一つ一つ人間に教わりながら成長していく。」育児拒否って一体何のことだろう。気になりだすと自分に関する新聞記事はどれも読みたくなってくる。どこかに鍵《かぎ》となる記事があるのではないかと思ってしまう。その鍵で戸を開けると、すべてが分かるというような記事を期待して、いろいろな記事をむさぼり読んだ。おかげで字を読む練習にはなったが、鍵になる記事はなかなか見つからなかった。

こんな記事もあった。「母親トスカは、クヌートとそのきょうだいが生まれても全く関心を見せなかったので、生命の危険ありと判断した動物園側は、数時間後に二匹をトスカから離したが、その時もトスカは何の反応も見せなかった。普通は育児拒否の母親でも子熊を持って行こうとすると暴れるので、睡眠薬を打たなければならないことが多い。トスカは東独のサーカスで働いていた時のストレスでノイローゼにかかり、育児本能を失ったものと専門家は判断している。」

恐れていたその日は突然やってきた。マティアスと遊んでいて手が滑って、怪我《けが》をさせてしまった。肌がさっとさけて、血が吹き出した。マティアスは悲鳴ひとつあげなかったが、運悪くショーの途中だったので、血を見て観客が騒いだ。わたしたちは一度退場し、マティアスはクリスティアンに消毒して包帯を巻いてもらった。わたしは消毒液をなめようとして瓶を倒してクリスティアンに叱《しか》られた。

それからわたしたちはまたゲレンデに出たが、生まれて初めてわたしは観客の敵意のようなものを全身に感じて身震いした。「みなさん、これは浅い傷で全然気にする必要ありません」とマティアスが腕をさしあげて、めずらしく大声を出して観客に訴えると、なぜか拍手が起こった。

ショーが終わるとクリスティアンが深刻な顔をして部屋で待っていて、「このまま行くと、来週には体重が五十キロを越えてしまう」と言った。「五十キロをリミットにしようと宣言したのはだいぶ前だから、うまく理由をつけて六十キロまで引き上げようと思っていた。でも、怪我をしたところを見られてしまったし、それに五十キロから六十キロになるのはすぐだから延長しても気休めにしかならないかもしれない。いつかは別れなければならないんだ。今が別れ時じゃないか。」

クリスティアンはそんな風にすらすらしゃべっているうちに声が裏返ってきて、目のまわりを手の甲でこすり始めた。マティアスはそれを見るとクリスティアンの肩に手を置いて、「死に別れするわけじゃない。自立して別れるんだ。嬉《うれ》しいよ」と言って慰め、次にクヌートの方を見て、「クヌート、メールの書き方は教えたよね。時々メールくれるね」と訊いた。クリスティアンがこれまで聞かせてくれたことのない変な声を出しているので、見ると驚いたことに、おいおい泣いているのだった。

その日、ベッドのある部屋に引っ越した。ベッドには藁《わら》が敷いてあって快適だった。マティアスはベッドを手で叩《たた》いたり、下を覗《のぞ》いたりして、壊れたところがないか調べていた。その部屋には格子《こうし》のついた戸があって、そこからいつもショーを見せているゲレンデに出ることができた。反対側には食事を入れる小さな戸がある。マティアスはその戸を開けたり閉めたりして、来ている人たちに細かい注意を与えていた。それから十秒くらいベッドに横になって目を閉じていたが急に飛び起きてわたしの方を見ようともしないで、部屋を出て行ってしまった。

マティアスは翌日から全く来なくなった。朝夕、誰かが食事を差し入れていってくれる。それは、マティアスでもクリスティアンでもない知らない人たちだ。朝、戸が開いて、ゲレンデに出ると遥《はる》か向こうに観客がいる。観客の数は減った。夕方になると食事のにおいに誘われてわたしは部屋に入る。マティアスの置いていったコンピューターは今でもベッドの隣に置いたままになっているけれど、どうすればスイッチが入るのか思い出せない。ベッドの隅には、赤ん坊だった時からずっといっしょにいるあの退屈なぬいぐるみがぐったり疲れた様子で座っている。

ゲレンデに出ても遊んでみせる気にはなれない。背中が暖まると少し悲しみがやわらぐので、背中を日に当てて岩の上にうずくまって、じっとしていると、「クヌート悲しそう」と言う小さな女の子の声が風に乗って聞こえてくる。「遊び相手がいないんだね。」どうやら子供の方がわたしのことをよく分かってくれるようだ。大人は気を使わなくていいとなると残酷な腸《はらわた》を言葉にして吐き出す。「あのすごい爪《つめ》、見てよ。飼育係に怪我をさせたそうだ。」「大人になったらやっぱり危険なんだって。犬とは違って野生なんだって。」「もう可愛《かわい》くないね。」

生まれてすぐに母に捨てられた。そんな風な言い方を思いついたのはマティアスと別れてしばらくしてからのことだ。マティアスがいてくれたので、それまでは自分の出生にまつわる秘密について考えてみる必要なんかなかったのに、急にそんなことが気になり始めた。

トスカの代わりにわたしを育ててくれたのが一人の男性だったこと。それが稀《まれ》にみる奇蹟《きせき》だったということが、今になってやっと分かった。マティアスはいたずらに哺《ほ》乳類《にゅうるい》を名乗るのではなく、本当に哺乳し続けたのだから、哺乳類の誇りだ。マティアスはわたしの本当の父でないだけではなく、遠い親戚《しんせき》でさえない。狼の言う通り、わたしたちは顔からお尻《しり》まで、どこも似ているところがない。狼は自分の一族の顔が似ていることを自慢していたが、わたしはむしろ自分と似ても似つかない動物に乳をやって育てたマティアスを尊敬する。狼は自分の一族が栄えることしか考えてないが、マティアスにはもっと遠くが見えていた。もしかしたら北極まで見えていたかもしれない。

マティアスには同じ種族出身のきれいな奥さんと、遺伝子を分けた可愛らしい子供がいたというのに、朝から晩までわたしにかかりっきりで世話をしてくれた。それはわたしが可愛かったという理由からだけではない。何億個の目が心配そうにわたしの小さな身体《からだ》を見守っていた。もしわたしが死んだりしたら、その瞬間、頭上で排気ガスが固まって鍋《なべ》の蓋《ふた》になり、地上の気温と湿度はどんどん上がり、わたしたちはみんな蒸し焼きになる。北極の氷が一気に溶けてホッキョクグマは溺れ死に、人間の住んでいる町も次々海水に沈んでいく。もしも奇蹟の人マティアスが指先からミルクを溢《あふ》れさせてホッキョクグマの子を育てることができれば、その子は世界の哲学書と聖典を一気に読みくだし、氷の海を泳いで渡って北極を救う、というくらい桁外《けたはず》れの期待がかけられていたのだ。

そんな風に言うとまるで英雄の話でもしているみたいだけれど、実際はその逆で、わたしは毛をむしられた兎《うさぎ》のようにみじめな姿で投げ出されていた。一度だけテレビで観《み》たことがある。目はぎゅっと閉じたままで、たらんと垂れた耳は聞こえず、手足は腹を支えることができないくらい弱々しい。なぜこんな姿で世に出てしまったのか、まだお腹の中にいた方がよかったのではないのか、とこの録画を観た人は感じたに違いない。わたし自身、それが自分だと認めたくはなかった。

トスカがどうしてミルクをくれなかったのかと考えたことはこれまで一度もなかった。きっと彼女なりに何か深い考えがあったのだろう。親の考えていることは子供には分からないから考えても仕方がない。これが自然の哲理である。わたしはむしろ、どうして哺乳類は生まれてすぐにミルクがなければ死んでしまうようにできているのか、それを不思議に思った。鳥の赤ん坊ならば、たとえ母親が家出してしまっても、父親が運んでくるミミズを食べればいい。ところが哺乳類はその名の通り、生まれてすぐはミルクからしか栄養が取れないようにできている。だから鳥のようにいつも前向きに考えることができなくて、つい乳くさい昔を振り返ってしまう。

もう一つとても不思議なのは、牝《めす》しか乳が出ないように作られているということだ。もしもラルスも乳を出すことができたら状況は違っていたのではないか。一切の責任がトスカの肩にかかってしまうのは、母親しか赤ん坊にミルクを与えられないような身体のつくりになっているからだ。そういった自然の不条理に挑戦し、帽子に鳩を生ませるのが魔術だ。猿でもないのに高いところで枝から枝へ飛び移るのは軽業師の仕事。火を恐れる動物に火の輪をくぐってもらうのは猛獣使い。マティアスのしたことにはサーカス的な華やかさがある。いつだったか、アジアのサーカス団の舞台をテレビで中継していて、水芸という芸を初めて観た。孔雀《くじゃく》のように華やかな衣装を着た女性たちが、指先から水を出していた。水ではなくてミルクが吹き出したら傑作だろうなと思いながら見ていた。マティアスはわたしにとって、指先からミルクを出す魔術師だった。マティアスが哺乳瓶というトリックを使っていることは目が開いてすぐに分かってしまったが、トリックは魔術の常識、そんなことでマティアスへの驚きと尊敬の念は変わらない。

マティアスはミルクをくれただけではない。寒くないか、暑くないか、頭をぶつけて怪我をしないかと一時も気を休めず、泊まりがけでわたしの世話をしてくれた。離乳してからも毎日何度も面倒な食事を作ってくれた。

マティアスは絶対にわたしを見捨てないという気持ちを与えてくれた。盥《たらい》に水を入れて、身体を洗ってくれた。それからタオルで乾かしてくれた。食事を作って辛抱強く食べ終わるのを待っていてくれた。わたしが食べ散らかした床をいつも掃除してくれた。いっしょにテレビの前にすわって、画面に出てくる人たちのことを説明してくれた。自分から水に飛び込んで、泳ぎを教えてくれた。声を出して新聞を読みきかせてくれた。そしてある日、何も言わずに姿を消してしまった。

マティアスが頼んでおいてくれたのか、新聞だけは毎日届いた。無料で配られるベルリンの新聞で、色のついた写真が多くて字が少なめだった。新聞には、意味の分からないニュースや胸のつぶれるニュースがいろいろ載っていて、読んで嬉しい記事は一つもなかった。それなのに読み始めるとやめられなくなって、わたしはいつの間にか、新聞を隅々まで読むようになっていた。

そのことも新聞で知った。マティアスが心臓発作で死んだ。死んだと言うことの意味が初めはぴんと来なかったが、何度も読んでいるうちに、もう絶対に逢《あ》えないという岩の塊が脳天に落ちてきた。もちろん、もし生きていても、もう二度と逢えないのかもしれない。でもひょっとしたら逢えたかもしれない。ひょっとしたらと思いながら生きていくことを人間は希望と呼んでいる。その希望が死んだ。

マティアスはまず腎臓癌《がん》にかかって、それから心臓発作が来た、と書いてある。初めての発作なのにあっさり死んでしまったと書いてある。発作を迎える前に一度でいいから逢いに来てくれればよかったのに。どうしてあれっきり顔を見せてくれなかったんだろう。食べ物にそっと唾《つば》を混ぜておいてくれるだけでもよかったのに。見物客に混ざって一度名前を叫んでくれるだけでもよかったのに。

新聞にはいろいろなことが載っている。読んで自分のためになると感じることはないけれど、新聞以外に情報源がないので、やっぱり毎日隅々まで読んでしまう。

そのうち、マティアスが死んだのはわたしのせいだと言っている人がいる、と新聞に書いてあった。わたしは悪魔の取り替えっ子なのだそうだ。マティアスの本当の子供がわたしと取り替えられてしまった。まわりの人がいくら説得してもマティアスは、クヌートが自分の子だと思い込んで、本当の子の元へ帰ろうとしなかった、それは悪魔に取り憑《つ》かれていたからだ、と言っている人がいるそうだ。

悪魔という動物は動物園にはいないので逢ったことがない。わたしがマティアスの生命力を吸い取ったと言っている人もいる。生命力というのはミルクのことだろうか。

マティアスの葬式は内輪だけで開かれたそうだ。わたしは葬式には呼ばれなかった。葬式というのは具体的にどういうことをするのか知らないけれど、死者の近くに立つ、という感じがあって、親しかった者が参加して、近しさを確認するらしい。わたしは一番マティアスと親しかったはずなのになぜ呼ばれなかったのだろう。

クリスティアンがインタビューに答えて、「彼にはいろいろストレスがあったようです」と語っているのも読んだ。またストレスだ。母がわたしを育てなかったのも、マティアスが死んだのも、みんなストレスのせいにしているけれど、ストレスなんていう動物は見たこともない。空想上の動物だ。できればマレーグマとこの問題について納得のいくまで論じ合ってみたかったけれど、マティアスと別れさせられてからは動物園内を自由に歩き回ることもできず、誰とも話ができなくなってしまった。

そのせいか、これまで関心のなかった植物の出す音に注意を払うようになった。木の葉の擦れ合う音というのもいいものだ。わたしには分からない言葉で心を静めてくれる。

ゲレンデに出ていると日陰でも熱気がゆらめいていて、少しでも動くと体温が上がり、爆発しそうになるので、一泳ぎすることにする。観客はわたしが水に入るとなぜか、わあっと喜んでカメラを向けるが、ずっと水の中にいると、そのうち飽きてしまう。観客の数は本当に減っていた。

ある雨の朝、気がつくと、柵《さく》の向こうにいる観客はたった一人だった。黒い傘をさして立っている。ところがその一人がじっとこちらを観たままいつまでも動かない。

風が吹いた。このにおいはどこかで嗅《か》いだことがある。この男は誰だったろう。鼻を伸ばして、鼻の穴をせっせと動かして、息を思いっきり吸い込む。モーリスだ。本を読んでくれた夜勤の男だ。わたしが鼻先を大きく左右に動かすと、モーリスが手を振ってそれに答えた。

マティアスが死んでから、次々嫌なことが襲いかかってきた。喪という黒い毛布に身をくるんで黙ってじっと痛みをこらえていたかったのに、俗世の悪意が蜂《はち》のように襲ってくるので、手をふりまわし続けていなければならない。その一つが遺産相続問題だった。わたしがマティアスの遺産を欲しがったわけではない。自分で築き上げた財産にさえ触る権利のないわたしにどうして他人の財産をもらう権利があるだろう。そうではなくて、わたしが築き上げた財産をめぐって二つの動物園が争い始めたのだった。わたし自身は裁判所にも呼ばれず、新聞で裁判の進行状態を読んで気を滅入らせるばかりだった。

わたしの父ラルスが所属しているノイミュンスターの動物園がベルリン動物園を相手に訴訟を起こした。わたしの人気のおかげでがっぽりと儲《もう》かったのだから、儲けの中から七十万ユーロよこせと言うのだ。身体がユーロのマークに変身したわたしを描いた風刺画を新聞で見た時はすっかり食欲がなくなってしまった。わたし宛《あて》に動物園に毒入りチョコレートが届いたという記事も載っていた。

子供の所有権は父親を所有する動物園にあるという法律が実際にあるのだと新聞に書いてあった。人間社会ではそういう法律は時代錯誤なのに、なぜ動物園だけ別の法律がまかり通るのか分からない、と書いていた評論家がいた。とにかくそういう法律がある以上、わたしの所有権は自分たちにあり、従ってわたしの稼いだ金も自分のものだとノイミュンスターの動物園が言い出したのだ。ベルリン動物園はそれに対して、三十五万ユーロは出すがそれ以上はびた一文出さない、と応《こた》えた。

わたしのおかげでお金が儲かったということについては、それまで考えたことがなかった。それは入場者が増えたということだけでなく、いわゆるクヌートグッズが売れたせいだそうだ。わたしの姿を真似《まね》た何百というぬいぐるみが今でも山積みになっていることは知っていた。小さくて堅そうなのも、中くらいのふわふわのも、かなり大きいのもある。棚がからになると、どこかから小型トラックでまた一山運ばれてくる。そしてその何万個ものクローンがみんな「クヌート」という名前なのだ。本物はここにいるよ、と叫んでみても誰も聞いてくれない。ぬいぐるみだけではない。わたしの顔のついたキーホルダー、コーヒーカップ、Tシャツ、Wシャツ、Vネックシャツ、DVD、クヌートの歌のCDなど昔からいろいろ売っていることはテレビで見て知っていた。王様の顔がクヌートになっているトランプもあり、つまみがクヌートになっている紅茶ポットもある。ノートに鉛筆、手提げ袋、リュックサック、携帯ケース、財布、みんなわたしの顔がついている。

お金をたくさん儲けてお屋敷を建て、ドレスを買い、パーティに出かけていって写真を撮らせる人たちのことがよく新聞に載っている。そういう話にはそれまで関心が持てなかったけれど、お金については昔、一つだけ面白い記事を読んだことがある。ある男が汚職の疑いで手錠をかけられた。ところがその男は、十万ユーロ払ってとりあえず監獄から出してもらった。マティアスがそんな風に説明してくれたことを急に思い出した。お金があれば格子《こうし》の外に出られる場合もあるらしい。お金を払えば、動物園から外に出ることもできるんだろうか。

朝ゲレンデに出る時はまだいいが、太陽が真上に上がってから一時間ごとに暑さは酷《むご》さを増していく。クヌートグッズや裁判のことを考えるとますます頭が熱して頭痛がしてくる。両手で頭を抱えていると、数人しかいない見物客の一人が、「クヌートもこの不景気じゃ頭が痛いよな」とこぼすのが聞こえた。

そんなある日、ずっと伏せたままだったカードがめくられて表の出るように気分がひるがえる出来事が起きた。朝食のお盆にのった深皿の隣に一枚の手紙が置いてあった。モーリスのにおいがする。早速開けて読んでみると、わたしがベルリン市長から、ある内輪のパーティへの招待状をもらったことが書いてあった。モーリスがあしたの夕方迎えに来る、と書いてある。この招待は市長から来たものなので動物園は外出を許可してくれたものの、公式の催し物ではなく、市長が仲間たちとプライベートに祝うパーティなので誰にも話さないように、とその辺の事情もちゃんと説明してある。パーティ会場は、湖に面した高級ホテルの七階にある大テラス付きスイートで、リムジンカーがモーリスとわたしを迎えに来てそこまで連れて行ってくれるということだった。

日が暮れたせいか、樹木に縁取られた湖が目の前に広がっているせいか、リムジンカーを降りると、久しぶりで涼しさを感じた。ホテルの入り口には、もみの木のような濃い緑色の服を着て革ベルトを身体《からだ》に巻き付けた男が数人、厳しい顔つきをして見張っていた。あれは本物の警察官だろうか。それともテレビに出ている俳優が警察官の役を演じているんだろうか。

わたしはモーリスと手をつないで、シャンデリアに照らされた誰もいないホールを通り抜けて、エレベーターというものに初めて乗った。テレビの推理ドラマでは何度も見たことがあったが、実際に乗ってみると箱の中にいる間、意識が凍ってしまったみたいで、またドアが開いたとたんに目の前に別世界が現れてもそれを信じていいのかどうか戸惑ってしまうのだった。

賑《にぎ》やかな話し声が蜂の群れのように頭の周りを包み、どこからか肉の脂《あぶら》が焦《こ》げる甘い香りが漂ってくるが、視界はワイシャツに包まれた男たちの背中、お腹、お尻《しり》で満員で、見通しがきかない。モーリスに手を引かれて人混みをかき分けて進むと、顔を上気させた粋な背広姿の男が目の前に現れた。

その男にはどこか特別なところがあった。どこが特別なんだろうと思って考えていると、濃厚な笑いを口元に浮かべて、わたしの頰にキスしてくれた。拍手が沸き起こった。たくさんの視線がわたしたちに注がれているのを感じた。モーリスがその男に大きなリボンのついた箱を渡し、「お誕生日おめでとうございます」と言った。包み紙にはわたしの顔が印刷されていた。中味は何なのか分からない。モーリスがプレゼントを用意してきたこともこの瞬間まで気がつかなかった。男は礼を言ってわたしとモーリスの頰に接吻《せっぷん》し、隣に立った若い男にもらった贈り物を預けると、黄色がかった液体の入ったグラスをわたしの手にもたせて、自分のグラスをそっとぶつけて、カリンときれいな音を出した。まわりに立った男たちもグラスを持ち上げて、架空のグラスにぶつけてみせた。

黄色がかった液体の中を覗《のぞ》き込むと、小さな泡がグラスの内壁にくっついていて、中には内壁から剝《は》がれて上に登ってくる泡もあった。水面に出ると泡はプチッとしぶきをあげて消えてしまう。いつまでも見ていたかったのに、その時、耳の側《そば》でモーリスが「君はシャンペンは飲まない方が無難だ」と囁《ささや》いて別のグラスと取り替えてしまった。「それなら飲んでもいいよ」と言われて飲んでみると、林檎《りんご》の味がした。

さっきの男は特別体格がいいわけでも声が大きいわけでもないのに、まわりの男たちはみんなその男の動きにずっと目を奪われていて、その男が何か言うとすぐに耳をそばだてる。多分スターなのだろう。わたしはそれを見ているうちに、だんだん羨《うらや》ましくなってきた。わたしだって小さい頃は、手足をちょっと動かしただけで何百人もの観客がざわめいたものだ。みんなの注目を集めることで、雲を動かし、雨を降らせ、太陽を引き寄せ、風を巻き起こす。そのくらい大きな力を小さな身体に感じていたあの時代をもう一度取り戻したくなってきた。

注目を浴びている男はいつの間にか人混みに飲まれて見えなくなってしまったが、

耳を澄ますと彼がどの辺にいるのか何となく見当がつく。周りに立つ男たちが沈黙の輪を作っていて、輪の外側に水紋状におしゃべりのさざめきが広がってきているからだ。

わたしは後ろを通った知らない男に押されて、鼻をモーリスの胸に押しつけることになった。すると懐《なつ》かしいバターのにおいがして、再会できたことがとてつもなく嬉《うれ》しくなって、衝動的にモーリスの頰をなめてしまった。モーリスはわざとらしく顔をしかめて見せたが、まんざらでもないようで、隣で羨ましそうにそれを見ていた男に、「種族かわれば品かわる。接吻の仕方もいろいろですねえ」などと嬉しそうに言った。

肉のにおいが鼻を魅惑する。その方向からは食べ物を皿に乗せた人たちが流れてくる。わたしの顔を読んでモーリスが「食べるのはもう少し待ってから」と言った。わたしは少し待っていたがすぐに我慢できなくなって、においのする方向に歩いて行こうとするとモーリスが心配そうな顔をして、「食べ物を取ってきてあげるから、おとなしくここで待っていてくれ、頼む」と言って人混みに消えた。一体何を心配しているのだろう。

仕方がないのでおとなしく待っていると、何人か男たちが近づいてきて、「テレビで拝見しました」と話しかけてきたり、わたしの毛をそっと撫《な》でたりした。

やっと戻ってきたモーリスが皿に乗せてきたのは、ネズミくらいの小さな肉の塊とジャガ芋三切れと林檎のムースだった。市政の赤字ということはよく新聞に載っているが、動物園と比べてもこの貧しさは衝撃的だった。気がつくともう食べ物はお腹に収まっていた。「あまり食べてはいけないよ」とモーリスが耳元で囁いた。つまらなくなってテラスに出た。湖面は真っ黒で、そこに映った月をさざ波が震えさせていた。テラスには数人男たちが輪になって立っていて、一人がよく通る声で息をつく間もなく話していた。聞くともなく聞いていると、きのうテレビでやっていたトークショーか何かの話だった。その男はどうやらその番組に出ていた鷹《たか》のような男の真似をしているようだった。「たとえ同性結婚していてもゲイカップルが養子をもらう権利を獲得するなんて許せません。そしたら育った子はみんな親と同じになってしまって、そしたらもう我が国は子供が生まれなくなってしまうんじゃないんですか？」数人がどっと笑う。「全く呆《あき》れたよ。まだ若いのに会社の重役みたいな髪型してさ、そんなこと言ってるんだ。でもね、驚いたことに、その時、八十歳くらいの銀髪の上品な女性が手をあげてこう発言したんだ。」その男は声色を替えて、今度はその女性を真似てみせた。「ゲイの両親は百パーセントヘテロですよ。つまりヘテロの両親がゲイを生み出しているのです。あなたの理論に従うなら、ヘテロの夫婦を禁止すべきじゃありませんか？」数人がわっと笑った。「見ていた人たちのうちどのくらいが彼女の本心を理解したかな。何しろ、ひねり、皮肉、諧謔《かいぎゃく》、風刺の分からない人間が増えたからね。僕は感心してテレビの前で思わず拍手しちゃったよ。それにしてもあの人、一体誰だったんだろう。」「もしかしたらあの本の作者じゃないか。あの本、何て言う題名だっけ。」

わたしは輪の中に入っていく決心がつかないまま、少し離れたところに座って、ぴったりしたズボンに包まれたみんなの尻を後ろから眺めていた。わたしの尻はどちらかというと古い作業ズボンでも穿《は》いているように垂れている。そんなことはこれまで気にならなかったが、今みんなの引き締まった尻を見ていると、恥ずかしくて立ち上がるのが嫌になってしまう。わたしの隣の椅子《いす》はあいているのに誰も来て座らないので、わたしは煙たがられているのかなあと寂しく思っていると、真っ白なセーターを着た男が左手にグラスを持って寄ってきて、「元気ないね」と声をかけてくれた。ちょっと猫的ではあったが、美しい顔をした男だった。わたしがその顔に見とれていると、その男は右手を差し出して、「ミヒャエル」と名乗った。わたしはそういう時には自分の名前を言うものだとは知らなかったので、「パセリ付きゆでじゃが芋。でもバターのたっぷり入ったマッシュポテトの方が好きです」と答えてしまった。ミヒャエルは長い睫《まつげ》とかすかに盛り上がった頬骨の間に陰を作って笑った。「僕は好き嫌いが多くてね、パーティでは何も食べないんだ。家でもあまり食べない。そのせいか頬がこけてしまった。これでも子供の頃はいつも可愛《かわい》いって言われていたんだよ。思春期に入って身体が急に大きくなってしまって、可愛くないと言われ始めてから、食べ物とのつきあい方が分からなくなってきた。それからは痩《や》せる一方だ。」そう言えば頬がこけているが、唇はふっくらして血の色に輝いている。「可愛くなくなったと言われ始めた時は、悲しかったですか。」「みんなに見放されたように感じたよ。もう誰も愛してくれないんだな、なんてメロドラマみたいな台詞《せりふ》も思い浮かんだ。母もその頃いなくなったし。」「死んだんですか。」「家出さ。」その時モーリスが顔を赤くして戻ってきて、「もう家に帰る時間だ」と厳しい声で言った。モーリスはミヒャエルなどまるで目に入っていないみたいで、目で挨拶《あいさつ》することさえなく、まるでわたしがそこに一人退屈して立っていたかのように振る舞った。未練を込めた目を向けるとミヒャエルは「今度遊びに行くよ。君の住んでいるところは知っているんだ」と耳元で囁いてくれた。蜂蜜《はちみつ》のように甘い声なので聞いているだけで涎《よだれ》が出てきた。

モーリスに手を引かれて、パーティ会場になっていたホテルのスイートを出た。エレベーターの中ではモーリスが慰めるように肩を抱いてくれた。なんだか家に帰りたくなかった。外で待っていたリムジンカーに乗り込んで、「またパーティに出たいな」と言ってみると、モーリスはわたしを慰めるような顔をして、腕をやさしく撫でてくれた。

翌朝ゲレンデに出ると、岩に反射する午前の太陽がこれまでになく明るく感じられた。身体をたっぷりと伸ばして欠伸《あくび》して、それから水泳選手のように手を揃《そろ》えてポーズをとって、派手に水に飛び込んだ。来ていた観客は三人だけだったが、激しい拍手を送ってくれた。わたしは背泳ぎをしながら途中で身体をひねって平泳ぎにかえ、目の前に浮かんでいた木の枝に嚙《か》みついてみた。それからその枝をくわえて、しばらく泳いだ。枝をくわえて泳ぎながらふと振り返ってみると、観客が十人くらいに増えていた。しかも全員カメラをかまえている。なんだか面白くなってきた。わたしはくわえていた枝を左に、右に、激しく振った。水滴が不思議な音をたてて宙に穴をあけた。わたしは枝を投げだして、今度は魚みたいに水に潜って息をとめ、我慢できなくなったところで、思いっきり外に飛び出してみた。歓声があがった。もう一度潜って、いっしょうけんめい水を蹴《け》って遠くまで泳いでから、水上に浮かび上がって、思いっきり顔を左右に振ってみた。観客は三十人くらいに増えていた。そのまま背泳ぎして足をばたばたしていくと空はカメラのレンズでいっぱいだった。一日騒がしかった動物園も夕方になると少しずつ静まり、夕食が終わった頃には人間たちの声は消え、鳥の声が一時騒がしくなるが、夏のしつこい太陽がやっとビルの向こうに退場すると、それも消えてしまう。夜中には時々、狼《おおかみ》の遠吠《とおぼ》えが聞こえることもあった。狼は苦手だったけれど、あんな奴でも孤独な宵に語りあえたらいいなあと思うことがある。

その時、背筋がぞっとしたので部屋を見回すと、埃《ほこり》を被《かぶ》ったコンピューターのディスプレイが明るくなっていて、そこにミヒャエルが映っている。驚いて腰が抜けそうになった。マティアスが置いていってくれたのに使い方も分からなくなって、もうそこにあることさえ忘れていた仏壇みたいなコンピューターが、急に光り出したのだから。「やあ、今日は元気がよかったね」とミヒャエルがまるで何も驚くことなんかないという調子で声をかけてきたので、わたしは動揺を隠すことも忘れ、「ずっと見ていたのかい」と訊《き》いた。「見ていたよ。」「どこから見てたんだい？　今日来ていた人たちの間に君も交ざっていたの？　柵《さく》の向こうにいる人たちの顔まではよく見えないんだよ。男か女か、子供か大人かくらいは雰囲気とか身体の輪郭で見当がつくんだけれど。」「違うよ。雲の上から見ていたのさ。」「嘘《うそ》だろう。」「今日の新聞、読んだか。」

「まだだよ。」「君をお母さんと再会させようという計画があるようだ。」「お母さんってマティアスのことか。」「違うよ。トスカだよ。」

わたしは自分がトスカと再会する場面を思い浮かべてみようとしたが、雪だるまが二つ並んで立っている子供の描いた絵が思い浮かんだだけで、自分と母の間に交わされる会話なんて想像もつかなかった。「ミヒャエル、君はいろんなことを知っているようだから訊くけれど、母がノイローゼだってみんなが言うのはどうしてなんだか知っていたら教えてくれ。」ミヒャエルは右手を顎《あご》に当てて、髭《ひげ》の剃《そ》り跡さえ見えないつるつるの顎を撫でさすった。「それは難しい問題だな。僕の答えは間違っているかもしれないが、多分、動物園の人たちはね、サーカスというのは不自然な場所だと考えているんだろう。いるかやシャチが空中回転したり、ボールを鼻先で投げ飛ばしたりするのはまだいいんだ。もともと遊び好きで人間を驚かせるのが好きな動物だから。でも熊が自転車に乗るのは絶対におかしい、そんなことを強制すれば熊はノイローゼになる、と西ヨーロッパの人たちは考えている。」「母は自転車に乗っていたのか。」「そこまでくわしくは知らない。玉乗りをしていたのかもしれないし、綱渡りをしていたのかもしれない。とにかく何か練習を重ねないとできないことをしていたことは確かだ。トスカ自身が強制されたかどうか知らない。祖先が強制されたことをトスカは当然のように受け継いだのかもしれない。その点は僕と同じだよ。」「君もサーカスにいたのか。」「サーカスではないが、五歳の頃から舞台に立って、歌ったり踊ったりしていた。立てるようになった時にはもう踊りの稽古《けいこ》が始まっていて、まだ言葉もしゃべれないのに恋の歌を歌っていた。それからは出世の坂を一気に登りつめた。休む間もなかった。それでも小さい頃はよかった。可愛くないと言われたあたりで、友達に、君は本当の幼年時代を暴力によって奪われたんだ、それを取り返さなければいけない、なんて言われてね。」「誰かに強制されて歌と踊りの稽古をしたのか。」「初めはそうだ。でもそのうちに誰にも強制されなくても自分で自分を強制するようになって、もうそこから逃げられなくなった。」「母もそうだったのかな。それで母は病気になったのかな。」「いや、それは違うと思う。本人に会ったら直接聞いてみるといい。それじゃあ、僕はこれで帰るから。」

ミヒャエルが来てくれたことで眠りは深くなり、目覚めた時には、まぶたの裏側の粘膜の桃色が見えるようになった。朝ご飯を食べ終わると、子供の時と同じように無心でゲレンデに駆けだしていった。マティアスの笑い顔が脳裏にちらついた。柵の向こうには、観客が何十人も並んでカメラをかまえていた。風が吹くと、園長のにおいがした。わたしは木につかまって立ち上がって片手を振った。園長が手を振り返した。

わたしは柔軟体操のつもりで、肩と首をまわした。観客の数は午前中どんどん増えていって、午後の一番暑い時間には少し減ったが、夕方にかけてまた増え、二重三重に列を作って観《み》ていた。

新しい遊びを考え出すのは難しい。脳味噌を絞って知恵を出そうとすると体温が上がってしまう。でも観客たち、特に子供たちが期待して待っているから、新しい遊びを披露したい。面白いことをしてみせると大人たちも身体がほぐれて顔つきが明るくなる。この日はいい加減な思いつきで、岩肌が氷でできていると想定して、すうすううと上を滑ってみた。「あ、氷の上を歩く練習してる」と叫ぶ男の子の声がした。「北極が恋しいんだね、きっと」と大人の声。「クヌートはいつか北極に帰ってしまうの?」と悲しそうに訊く女の子の声がした。わたしはいつかテレビで観たアイススケートを思い出した。ああいう短いスカートをはいてみたいなあ。胸元にはきらきら光る飾りをつけていたっけ。それともあれは氷のかけらと水しぶきだったのかなあ。アイススケートの選手になったつもりで滑った。今度は後ろ向きに歩いてみようと思ったけれど、なぜかそれはできなくて尻餅《しりもち》をついてしまった。笑い声が起こった。何事も練習。あしたまた頑張ろう。

日陰で日没を待つしかないような灼熱《しゃくねつ》の日が繰り返しやってきた。わたしは時々目を半分つぶって、雪野原を思い浮かべようとしたが、目に浮かんだのは雪の溶けたあとの水面だけだった。青い水面が水平線までたいらに広がっていて、氷のかけら一つ浮かんでいない。「あ、クヌートが溺《おぼ》れている」という子供の声にはっと我に返り、あわてて平泳ぎで陸に上がった。そう言えば、祖母の夢ももう長いこと見ていない。

ミヒャエルは毎晩遊びに来るようになった。「クヌート、君は観客を喜ばせているね。」「自分も楽しいからね。」「僕も舞台に立つのは楽しかった。でも初めは強制されたんだ。歌と踊りが完璧《かんぺき》にできなければ、夕飯抜きでも当たり前だと、小学校に入る前から思い込んでいた。」「マティアスは強制なんかしなかったよ。」「それは分かっている。だから君を見ていると、僕たちの世代が終わったことが実感できて嬉しいんだ。でも君はまだ完全に自由ではない。君にはまだ人権がない。だから、気分次第で殺されてしまうかも知れない。」

ミヒャエルが話してくれたのはこんな話だった。アルブレヒト氏という動物に関する法律を専門に扱う法学者が、母親に見捨てられたナマケグマの新生児を安楽死させたライプチヒ動物園の園長ユンホルトを訴えた。ライプチヒ地方検察庁は、「人間の手で育てられた動物に成人してから現れる人格障害を早めに摘み取るという意味での安楽死だった」ということで、アルブレヒト氏の告発を却下した。それはいい。ところが却下されたアルブレヒト氏は動物の味方かと思えば全くそうではなかった。魚を釣ることを趣味にする人もいれば、鹿を射止めることを趣味にする人もいるが、この人は法律という獲物を追う狩人《かりゅうど》で、今度は母親に見捨てられたホッキョクグマの赤ん坊を人間の手で育てているベルリン動物園を訴えた。人間の手で育てられたホッキョクグマは社会性に欠ける場合が多い。仲間と上手《うま》くやっていけなかったり、女性にうまく求愛することができず喧嘩《けんか》を起こしたりする。そんな熊は生きていない方が世のためである、ライプチヒ動物園が無罪ならば、クヌートを安楽死させなかったベルリン動物園は有罪だ、とアルブレヒト氏は主張するのである。

わたしはこれを聞いてぞっとしただけでなく、頭が混乱して、平らな頭のてっぺんがもりもり熱で膨らんでくるように感じた。「人間は不自然ということをとても嫌っているんだよ」とミヒャエルが説明してくれた。「熊は熊らしく、下層階級は下層階級らしくしなければ不自然だと思っている。」「それならば人間はどうして動物園なんか作ったんだ。」「うん、それは多分、矛盾しているところが人間の唯一《ゆいいつ》自然なところだからだ。」「そんなのずるいよ。」「君は、自然か不自然かなんて気にしないで、君がいいと思う通りに生きればいいよ。」

そうは言われても、「自然」などというものを持ち出されたので気になって夜も眠れなくなってしまった。もしも自然のままだったら、わたしはトスカのおっぱいをまさぐって、必死で食いついて、口に力を入れて吸っていたのだろう。目は見えなくて、耳も聞こえなくて、どこから始まってどこで終わるのか分からない暖かい毛皮に包まれて、牝《めす》のにおいがすべてである穴の中で、厳冬が和らぐまで人生の初めの何週間も過ごしたのだろう。もしも自然のままだったら。ところが、生まれた時から自然とは縁のないわたしは、マティアスが哺乳瓶《ほにゅうびん》で与えてくれるミルクを飲んで育った。でも、それだって自然の一部ではないのか。ホモサピエンスという突然変異の怪物がどうしてもホッキョクグマの赤ん坊を育てようと決心したのだ。

　本来ならば母という中心が穴の真ん中にいるはずなのに、四角い箱の真ん中には何もなかった。しかも壁があって先へ進めない。壁にぶつかって先に進めない感覚、壁の向こうへの憧《あこが》れ。それはわたしが本当のベルリンっ子として育ったということではないのか。わたしの生まれた時にはベルリンの壁が崩れてすでにかなりの年月がたっていたけれど、ベルリンに住む人たちのほとんどがまだ壁を身体で覚えていた。

　北極へ行ったことがないからって馬鹿にする人がいるけれど、マレーグマだってまだマレーシアに行ったことがないし、ツキノワグマだってまだサセボに行ったことがない。みんなベルリンしか知らない。それが普通だ。「ミヒャエル、君はどうなんだい。君はベルリンっ子かい？」と訊いてみると、ミヒャエルは困ったように微笑《ほほえ》んで、「ベルリンはコンサートでしか来たことがない。引退してからはどこにいても自由だから、いろんなところへ行く。」「家はどこにあるんだ。」「君は月の上を歩いてみたことがあるかい。」「ないよ。寒くて気持ちいいだろうなあ。」「ベルリンは冷房がないから君も暑くて苦しいだろう。でも、冷房がないのもいいことだ。」「どうして？」「だって家の中が冷蔵庫みたいで外が砂漠だったら、もう外へは出られないだろう。君は外が好きだろう。」「好きだよ。外が最高だ。」「それならいつかまた外に出られるよ。僕みたいに。」ミヒャエルはそう言うと、にっこりして帰ってしまった。ミヒャエルは帰る時はいつも、さよならも言わないですっと消えてしまう。マティアスもある日急に、さよならも言わないで消えてしまった。母のトスカだって、さよならとは言ってくれなかった。

トスカとわたしを逢《あ》わせる計画がうまくいったら今度はラルスと再会し、それから若い女の子とのお見合いも計画されている、と新聞に書いてあったとミヒャエルが教えてくれた。わたしは、この頃あまり新聞を読まない。「お見合いはどうでもいいけれど、他のホッキョクグマと逢わせることで社会性があるかどうか調べるなんて、なんだか君を病人扱いしているよなあ」とミヒャエルが言った。わたしが溜息《ためいき》をつくと、ミヒャエルはわたしの肩を撫《な》でながら慰めてくれた。「気にするなよ。奴らは自分と毛色の違うのがいるとすぐに検査すると言い出す。どうってことないよ。」その時わたしはミヒャエルがあおざめた顔をしていることに初めて気がついた。マティアスよりもっとあおざめている。「君、まさか病気じゃないだろうね。」「いや、今ちょっと嫌なことを思い出していたから血の巡りが悪くなっただけだ。僕は女には関心がないが、子供がどうしても欲しかった。それが多くの人間には理解できなかったんだな。だから、ひどい目に遭った」と言った。

それにしても暑い夏だった。夏はいよいよ頂点に達したかと思っていると、翌日はさらに暑さが増し、どこまでいったら太陽は気が済むのか。ミヒャエルはいつも夜になって少し涼しくなってからやってきた。

ミヒャエルは自動車が嫌いなんだそうだ。バスで来たのかと訊いても、自転車で来たのかと訊いても首を横に振るばかりで教えてくれない。時計もしていないし、尻ポケットに財布が入っているようにも見えない。クロヒョウみたいにどこもつるっとして上品なのだ。

暑いのに日中の観客の数は減るどころか増える一方で、平日でも昼時は柵の隅から隅まで人の顔が二列に並んでいた。下の列はみんな子供で、子供たちの顔をもっとよく見たいと思っているうちに、わたしはだんだん遠視になってきた。小さい子は、乳母車に座っている。乳母車の中から両手を前にさしだして、口を開けて盛りの付いた猫みたいな声を出す子もいる。乳母車の後ろに立つ女たちの顔は、疲れて険しいこともあるし、ぼんやり上の空のこともあるし、潑剌《はつらつ》としていることもある。母親っていろいろなんだなあと思う。

　ある日、正面に乳母車が四台並んでいるのが見えた。母親たちは背丈が揃《そろ》っていて、顔の表情は四人とも明るかったが、よく見ると、乳母車は四台でも赤ん坊は三人しかいなくて、四台目の乳母車にはわたしの顔をしたぬいぐるみが乗っていた。ぞっとして、あらためて母親の顔を見ると、つむじのあたりの髪の毛が一房立っていて襟が乱れている。幸せそうな顔で微笑んでいるが本人は、ぬいぐるみだということに気がついていないんだろうか。それとも、ぬいぐるみでもいいと割り切っているのだろうか。

　どういうわけか、わたしにはその乳母車の中に座っているぬいぐるみが死んだきょうだいに見え始めた。自分では全く覚えていないけれどよく新聞に、わたしの双子のきょうだいは生まれて四日目に死んだと書いてあった。死んだ者は赤ちゃんのまま成長しないで何年も何十年もああいう乳母車に乗せられて、園内を彷徨《さまよ》い続けるんだろうか。

秋になってやっと暑さがほんの少し和らいだ。朝食についてきたミルクをこぼしてしまい、掃除の人がそれを吸い取るために置いていった古新聞にミヒャエルの写真が大きく載っていた。遠視になってきてから字がよく読めないのだけれど、読みまちがいでなければ「死んだ」と書いてある。日付は小さすぎて見えない。

その夜もミヒャエルは何事もなかったかのように訪ねてきたので、やっぱりわたしの読みまちがいだったんだろう。本人に訊くのが一番いいのだろうけれど、なんだか訊きにくかった。ミヒャエルはわたしがそわそわしていることには気がつかないようで、「もう母親には逢ったのか」とやさしく訊いた。「まだだ。でももうすぐだっていう噂《うわさ》がある。」「逢ったら何を訊くか考えておいた方がいいよ。いざとなると頭の中が真っ赤になって、言葉が浮かばないかも知れないから。」「君ならどんなことを訊く？」「そうだな。母に聞きたいのは、もし父がいなくて母ひとりだったらどんな教育をしていたかってことかな。父は貧乏だったから金が欲しくて僕らきょうだいに暴力をふるってまでも芸人に育てたのだと思ったら、どうやら金のためではなかったようだ。父は若い頃、自分も舞台に出て楽器を吹いていたことがあったのに途中で諦《あきら》めて労働者になった。おまけに舞台に出ていたことをいつも自分の兄さんにあざ笑われていた。くやしさ、だな。」「君はどうして舞台を降りたの？」「僕たちはみんな環境が変わっても暮らしていける。身体を変化させ、考え方を変化させることでね。でも環境と呼べるものが全くなくなってしまったらもう暮らせない。僕には環境が全くなくなってしまった。」

環境と言われてみると、わたしには環境なんてあるんだろうか。ミヒャエル以外には訪ねてきてくれる人もいない。一人でこんなに広いプール付きのテラスを使っているけれど、これが環境と呼べるものだろうか。空を見ていると遠くへ行きたくなる。空があんなに広がっているのだから、それと向かい合う大地だって、同じくらいどこまでも続いているはずだ。毎日少しずつ涼しくなっていくということは、遠くから冬がやってくるということだ。もし近かったらベルリンの夏の暑さで暖まってしまったはずなのに、とても冷たい風が吹いてくるということは、冷たさを保ったまま、町の熱をこうむらない「遠く」があるということだ。遠くへ行きたい。

観客はもうコートを着て、襟巻きを巻いたり、毛糸の帽子を被《かぶ》ったり、手袋をつけたりしている。寒さに鼻先を赤く染めて、いつまでも柵《さく》の向こうからこちらを見ている人たち。

最近、カボチャを投げ込んでくれた人がいて、これは愉快だった。水に転がり込ませるとプカプカ浮いている。水に入って鼻で押して泳いでいるうちにちょっと腹が減ったので、がりっとかじってみるとなかなかいける味だった。欠けたカボチャを玩具《おもちゃ》にして水の中で遊び続けた。「クヌートは外で水泳しても寒くないの?」と訊く子供の声がした。「寒くないんだよ。クヌートのふるさとは北極だから」と嘘《うそ》を言う大人の声も聞こえる。あれほど何度もわたしがベルリンで生まれたことが新聞に書いてあったのに、そしてわたしの母がカナダで生まれて東独で育ったことも書いてあったのに、わたしの毛皮が白いというそれだけの理由で北極生まれにされてしまう。

夜は急に冷えるようになってきていたが、ミヒャエルはコートは持っていないのか決して着てこない。いつも白いレースのついた女物のブラウスの上にダンディな感じの黒い薄手のスーツを着て、白いソックスに黒い革靴を履いている。「君はかっこいいね。髪の毛も黒くて」と言ってみると、「だから白い奴が恋しくてここに来ているんだ」と笑いながら答えた。「でも僕が通ってきていることは内緒だよ。新聞がうるさいから。」「新聞に書いてあることは嘘が多いから読むのはやめたよ。」「君のことなんか、ひどいこと書いているものな。」「君のことだって前にひどいことが書いてあったよ」とわたしがその場の勢いに押されてついそんなことを口にしてしまうと、ミヒャエルの顔が凍った。「僕のことなんか書いてないだろう。」「書いてあったよ。死んだって。」

カボチャも黄色と緑が混ざった秋の色をしているけれど、見上げるとわたしのテラスからも同じような色に染まった晩秋の最後の木の葉が見える。ミヒャエルが遊びに来なくなってから何日くらいたっただろう。わたしはどうやって時間を計ったらいいのか分からなくなってしまった。毎日少しずつ寒くなっていくので、自分は夏を乗り切ることができたのだ、冷房なしで健やかに過ごすことができたのだ、という自信が悲しみと反比例して強まっていくくらいで、何を楽しみに待ったらいいのか分からない。両親と再会する日だろうか。それともお見合いの日だろうか。本音を言えばまたモーリスとパーティに行きたい。外に出たい。お見合いなんかしたくない。

わたしが待ち望んでいるのは、実は冬の深まる日、冬にどっぷりと浸れる日、冬を確信できる日だった。冬は、灼熱《しゃくねつ》の夏を乗り越えた者へのご褒美《ほうび》だ。ひんやりうっとりと北極を夢見て、ゴシップを広める活字にまだ汚れていない真っ白な紙、ミルクのように甘く、栄養豊かな白と向かい合える日だ。

その日は空気が重く湿っていて、泣き出したいようでもあり、笑い出したいようでもあり、喉元《のどもと》がそわそわしていた。脊髄《せきずい》が冷たく湿って重い。そのまま倒れてしまいそうで、それは湿っぽいけれど一種の歓喜だった。夕方になってそういう気分が一気に煮詰まった。湿った風がわたしの肌をなめ、骨まで味わいつくそうとするように、肉を通り抜け、骨の髄まで届いた。灰色の空の向こうは蛍光灯が灯《とも》ったように輝いている。朝なのか夕方なのか分からないような曇り方で、手すりも岩肌も色彩が映えない。空を見上げる。あれ、黒い小さな破片が空中で翻《ひるがえ》った。雪。もう一枚。雪。そしてもう一枚。雪。ここで翻り、あそこで翻る。雪。初めは黒っぽく見えた。でも、それはまぎれもなく白い結晶だった。雪。白いものの動きが一瞬黒く見えるのは不思議だ。雪。翻りながら落ちてくる。雪。ひとひら。雪。もうひとひら。雪。どんどん落ちてくる。上を向いていると、まわりの雪ひらが風に飛ばされる木の葉のように次々背後に流れ去っていく。わたしは雪に乗って、地球の脳天に向かって全速力で飛んでいった。

解説

佐々木敦

『雪の練習生』は、月刊誌「新潮」の二〇一〇年十月号から十二月号にかけて、全三部の一話ずつ連載されたのち、二〇一一年の一月に単行本として刊行された。私は雑誌で読んでいたのだが、「祖母の退化論」「死の接吻《せっぷん》」「北極を想う日」と、ひと月ごとに読み進めていった際の驚きと興奮と感動は今も覚えている。この小説は、何よりもまず、出来るだけ予備知識抜きに読まれるべき作品だと思う。なので万が一、もしも先にこの解説を読みつつある方がいらっしゃったなら、ここで頁《ページ》を最初に戻して、第一部「祖母の退化論」の冒頭に視線を据えてみていただきたい。そこにはこう書かれているはずだ。「耳の裏側や脇《わき》の下を彼にくすぐられて、くすぐったくて、たまらなくなって、身体《からだ》をまるめて床をころがりまわった。きゃっきゃと笑っていたかもしれない……」。なんて魅惑的な書き出しだろう。あとはもう、するすると続く文字たちをただひたすらに追っていくしかない。そうしないではいられない。言葉たちのダンスに乗せられて、ふと気づけば、第三部「北極を想う日」の最後の一文に辿《たど》り着いていることだろう。

というわけで、あなたはいま、この『雪の練習生』を読み終えて、ふたたびこの解説に戻ってきた。多和田葉子の小説はいつも不思議だけれど、これは中でもひときわ不思議な作品である。そしてその不思議さは、まず第一に、読んでの通り、主人公が三代にわたるホッキョクグマであるということによっている。いや、クマが主人公の物語なら世に幾らもあるだろうが、これはそういうものたちとは明らかに一線を画している(とはいえ同時に、この小説が古今東西の「クマの物語」と複雑かつ豊かに響き合っていることも事実)。雑誌連載時の私のように何も知らずに読むならば、右に引用した冒頭部分から数行後、これが「わたし」と名乗る何者かの独白であることは知れるものの、「わたし」が「毛の生えた赤ん坊」だったというからには、どうやら何らかの動物、獣のような存在であるらしいことは推察出来ても、それがどういうことなのかはさっぱりわからないし、クマであるということも、すぐにはわからない。それどころか、あからさまに読者を混乱させる、意味ありげな述懐が、このあとすぐさま語られることになるのだった。思うにそこは、この小説のカギともいうべき重要な箇所なので、左に引いてみる。

ものを書くというのは不気味なもので、こうして自分が書いた文章をじっと睨《にら》んでいると、頭の中がぐらぐらして、自分がどこにいるのか分からなくなってくる。わたしは、たった今自分で書き始めた物語の中に入ってしまって、もう「今ここ」にはいなくなっている。眼を上げてぼんやり窓の外を見ているうちに、やっと「今ここ」に戻ってくる。でも「今ここ」って一体どこだろう。(11頁)

ということはつまり、この「わたし」とは「語るわたし」であるばかりでなく「書くわたし」(このふたりの「わたし」は似ているけれど実は違う存在である)、いや「書きつつあるわたし」でもあることになるのだが、だとすれば、これはまだクマであることはわかっていなくても、多分ヒトとは違う毛の生えた生き物が書いた文章ということになるのだ。それってどういうこと、と不思議がる間もなく、この「わたし」は、事もあろうに「我が国における自転車の経済的意味」を議題とする会議に出席していることが語られる。最初の方は、そんな「わたし」の幼児期の回想だったのだ。ますますもって、どういうこと？　それでも立ち止まることなく（立ち止まれずに）読んでいくと、やがて「そもそもわたしが華やかなサーカスの舞台と縁遠くなり、いろいろな会議に参加するようになった」わけが語られ、そして「わたし」がこうして「自伝」を書くに至った顚末《てんまつ》が語られる。このあたりまでくれば、読者は不思議は不思議なままで、理屈抜きの納得とともに、すでに自分がこの小説に深く囚われてしまっていることに気づかされることになるのだ。クマが「自伝」を書いていたって不思議ではない。なにしろ「わたし」の「昔の知り合いで今は文芸誌の編集長になっているオットセイ」だっているというのだから。

こうして「祖母の退化論」では、旧ソ連で産まれた「わたし」が、イワンという調教師に育てられてサーカスの花形になり、体調を崩して裏方にまわり、ひょんなことから書いた「自伝」が活字になり、作家として著名になっていく経緯が物語られる。

「作家になるということがそこまで人生を変えてしまうとは思ってもみなかった。正確に言えば、わたしが作家になったのではなくて、書いた文章がわたしを作家にしたのだった。結果が結果を生んで次々、自分でも分からないところにどんどん引っ張られていく。それが作家になるということならば、玉乗りよりもっと危険な芸なのかもしれない」。「わたし」はソヴィエトから西ドイツに出て、その後カナダへと渡るが、ふたたび社会主義国の東ドイツに向かう。そして「わたし」は最後に、見ず知らずの他者の著した「亡命文学」を「わたし自身の物語」に変換するという、まったくもって不思議な離れ業によって、第二部「死の接吻」のヒロインである「トスカ」の母親になるのである。「わたし」は一種の予言、未来の「自伝」として、こう書きつける。「娘のトスカはバレリーナになって舞台に立ち、チャイコフスキーの『白鳥の湖』、または自分でアレンジした『白熊の湖』を踊り、やがて可愛《かわい》らしい息子を生む。わたしにとっては初孫だ。その子はクヌートと名付けよう」。

続く「死の接吻」の「わたし」は、第一部の「わたし」とは別人、そう、ヒトである。彼女は「ウルズラ」という名のサーカスの曲芸師で、ホッキョクグマの「トスカ」とコンビを組んでいる。二人（一人と一頭？）の人気演目が「死の接吻」である。第一部と同じく、かなりの長きに及ぶ時間が、あたかも「わたし＝ウルズラ」の「自伝」であるかのように綴《つづ》られていくのだが、しかしやはり第一部と同様、最後には叙述上の離れ業が待っている。ほとんど唐突に「わたし」が「わたし＝トスカ」に入れ替わり、というかそもそもが逆であり、実は「トスカ」が「ウルズラ」の「自伝」にみせかけた「伝記」を書いていたことが明らかにされるのだ。

第三部「北極を想う日」は、第一部の「わたし」の孫であり第二部の「トスカ」の息子である「クヌート」の物語である。第一部第二部とは異なり、それは最初、三人称で語られていく。だがそれも「離れ業」なのである。実際には「わたし」という言葉を知らなかった「クヌート」が、自分のことを「クヌート」と記していたのだった。彼が一人称を知ってから、小説は三たび「わたし＝クヌート」によって語られるようになる。周知のごとく「クヌート」とは、ベルリン動物園の人気者だった、実在したホッキョクグマである。こうして最終部に至って、この小説は「現実」と明確な接点を持つことになる。つまりこれは「クヌート」と彼の母親と祖母が、それぞれに「わたし」として物語る、長い長い三代記だったわけである。

ウィキペディアで「クヌート（ホッキョクグマ）」という項目を調べてみると、こんな記述がある。「クヌートは、ドイツのベルリン動物園で生まれたホッキョクグマである。母グマが育児放棄したため、人工哺育《ほいく》された。その愛らしい姿からドイツ国内のみならず世界中での人気を集めた」。また、こうも。「母親はカナダ生まれで、旧東ドイツの国営サーカスで芸をしていたトスカ」。母熊のトスカに育児放棄されたが、クヌートは「飼育係であったトーマス・デルフラインの献身的な飼育により、その後順調に成長した」。デルフラインは二〇〇八年に、四十四歳の若さで亡《な》くなっている。彼は小説の中では「マティアス」という名前になっているが、つまりこの小説の設定は、かなりの部分まで事実を元にしている。二〇〇五年からベルリン在住の多和田葉子は、ツォー（Zoo）のマスコットであるクヌートの姿をたびたび目にしていたことだろう。ある時ふと、この子の物語を書いてみようかと思い立ったのかもしれない。だが、そこは彼女のこと。それはすこぶる不思議な物語になることを運命付けられていたのである。

不思議、というのは、一筋縄ではいかない、という意味である。いや、多和田葉子の場合は、縄は幾筋あっても足りない。クマたちによる一人称は、しかし同時に「わたし」という三文字を介して、随所で作者自身を想起させるような仕掛けになっている。なにしろ多和田葉子は、日本の大学ではロシア語を学んだが、ドイツに移住して大学院に進み、四半世紀以上にわたってドイツ語と日本語の両方で作品を発表してきた作家である。国際会議への出席も数多くこなしている。「わたし」の物語を語り書きつつある「わたし」とは、幾分かは彼女の分身でもあるのではないだろうか。右に引用した第一部の「わたし」の独白は、そのまま多和田葉子自身のものと受け取ることも可能である。もちろん、ここに書かれてあるエピソード群を、そのまま「多和田葉子」の「自伝」だなどと思ってしまうと、また別の罠《わな》に嵌《は》まってしまうわけだが。

三代にわたるホッキョクグマの「自伝／伝記」は、そのまま過去数十年の「歴史」に重ね合わせられる。冷戦状況からベルリンの壁崩壊、ソ連の終焉《しゅうえん》と、激動といっていい変化に翻弄《ほんろう》されるクマたちの姿は、そのままドイツの、ヨーロッパの、世界のひとびとの姿でもある。また、それ以外にも、全編を通して、動物愛護をめぐる種々のクリティカルな問題と、セクシャリティにかんする極めて現代的な思弁が豊饒《ほうじょう》に敷き詰められており、ディテールに踏み込んでいったらきりがないほどに、無数のテーマが何重もの編み目になっている。言うなればこれは「クマ」を通して「わたし」と「世界」を描いた小説なのである。

ところで、これも周知のことかもしれないが、クヌートは二〇一一年三月十九日に死んでしまった。この『雪の練習生』の単行本が出版されてから、たった二ヶ月後のことである。そのかなしい知らせを作者はどんな気持ちで聞いたのだろうか。小説というものは、たとえ事実を踏まえていたとしても、そこから自由に自在に離陸してゆくさまにこそ核心がある。それは確かなことだが、それでもやはり、私はクヌートが天に召されたことを知ってから、この小説の幕切れの一文を思い出すたびに、深い感慨にとらわれないではいられない。いや、天に召されたのではない。「クヌート」は「地球の脳天に向かって全速力で飛んでいった」のだ。

(二〇一三年十月、批評家、早稲田大学教授)

この作品は平成二十三年一月新潮社より刊行された。

いしいしんじ著

ぶらんこ乗り

ぶらんこが得意な、声を失った男の子。動物と話ができる、作り話の天才。もういない、私の弟。古びたノートに残された真実の物語。

いしいしんじ著

麦ふみクーツェ

坪田譲治文学賞受賞

音楽にとりつかれた祖父と素数にとりつかれた父。少年の人生のでたらめな悲喜劇を貫く圧倒的祝福の音楽、そして麦ふみの音。

いしいしんじ著

トリツカレ男

いろんなものに、どうしようもなくとりつかれてしまうジュゼッペが、無口な少女に恋をした。ピュアでまぶしいラブストーリー。

いしいしんじ著

ポーの話

あまたの橋が架かる町。眠るように流れる泥の川。五百年ぶりの大雨は、少年ポーをどこへ運ぶのか。激しく胸をゆすぶる傑作長篇。

一條次郎著

レプリカたちの夜

新潮ミステリー大賞受賞

動物レプリカ工場に勤める往本は深夜、シロクマと遭遇した。混沌と不条理の息づく世界を卓越したユーモアと圧倒的筆力で描く傑作。

一條次郎著

ざんねんなスパイ

私は73歳の新人スパイ、コードネーム・ルーキー。市長を暗殺するはずが、友達になってしまった。鬼才によるユーモア・スパイ小説。

新潮文庫最新刊

青山文平著
泳ぐ者
別れて三年半。元妻は突然、元夫を刺殺した。理解に苦しむ事件が相次ぐ江戸で、若き徒目付、片岡直人が探り出した究極の動機とは。

佐藤賢一著
日蓮
人々を救済する――。佐渡流罪に処されても、信念を曲げず、法を説き続ける日蓮。その信仰と情熱を真正面から描く、歴史巨篇。

諸田玲子著
ちよぼ
―加賀百万石を照らす月―

女子《おなご》とて闘わねば――。前田利家・まつと共に加賀百万石の礎を築いた知られざる女傑・千代保。その波瀾の生涯を描く歴史時代小説。

梶よう子著
江戸の空、水面の風
―みとや・お瑛仕入帖―

腕のいい按摩と、優しげな奉公人。でも、なぜか胸がざわつく――。お瑛の活躍は新たな展開に。「みとや・お瑛」第二シリーズ！

藤ノ木優著
あしたの名医
―伊豆中周産期センター―

伊豆半島の病院へ異動を命じられた青年産婦人科医。そこは母子の命を守る地域の最後の砦だった。感動の医学エンターテインメント。

山本幸久著
神様には負けられない
26歳の落ちこぼれ専門学生・二階堂さえ子。職なし、金なし、恋人なし、あるのは夢だけ！つまずいても立ち上がる大人のお仕事小説。

雪《ゆき》の練《れん》習《しゅう》生《せい》

新潮文庫　た－106－1

平成二十五年十二月一日発行
令和五年十月五日六刷

著者　多《た》和《わ》田《だ》葉《よう》子《こ》

発行者　佐藤隆信

発行所　株式会社 新潮社
郵便番号　一六二―八七一一
東京都新宿区矢来町七一
電話 編集部(〇三)三二六六―五四四〇
読者係(〇三)三二六六―五一一一
https://www.shinchosha.co.jp

価格はカバーに表示してあります。

乱丁・落丁本は、ご面倒ですが小社読者係宛ご送付ください。送料小社負担にてお取替えいたします。

印刷・大日本印刷株式会社　製本・加藤製本株式会社

ISBN978-4-10-125581-1 C0193